生まれた時から愛してる

CROSS NOVELS

夜光 花

NOVEL : Hana Yakou

yoco

ILLUST : yoco

CROSS NOVELS

CONTENTS

CROSS NOVELS

CONTENTS

生まれた時から愛してる
夜光 花
illustrated by yoco

■1　双子の能力

小此木理人《おこのぎりひと》は一卵性の双生児として生まれた。

理人の弟の名は、小此木類《るい》。同じ年齢、同じ血液型、同じ遺伝子――のはずだが、高校三年生になった今、理人と類を区別するのは容易い。

「おー。類、聞いたぞ、また告られたってな。羨ましすぎるだろ、このイケメンが！」

三年二組の教室の窓際の席、サンドイッチを頬張っていた理人たちに手を振りながら近づいてきたのは、同じクラスの倉田《くらた》だ。でかくて、がっしりして、角刈りの彼は、バスケ部の仲間を率いて教室に入ってくる。彼らはうるさく、高身長ばかりなのでとても目立つ。部活は引退しても、存在感は増すばかりだ。すでに昼飯を食べ終わったらしく、ジャージ姿で理人の前に座って昼飯を食べていた類に明るく話しかける。

「それが何？」

バスケ部の目立った男子たち四、五人に囲まれても、類はにこりともしない。愛想ゼロで、じろりと彼らを見返す。

知らなかったが、類はまた告白されたらしい。それも無理からぬ話だ。何しろ、理人の弟である類は目を引く容姿をしている。父親は日本人だが母親がフランス人で、ハッとするような整った美形だ。しかも百八十センチの高身長、引き締まった肉体、ゆるくパーマをかけた茶色い髪——学校内では女子たちが陰で類を『王子』と呼んでいる。類は女子たちが目をハート型にして追いかける校内一モテる男だ。ブレザーの制服姿を写した写真が、彼女たちの間で出回っているらしい。

(って、俺の双子の弟なんだけどね！)

内心突っ込みを入れつつ、理人はバスケ部の連中の視界に入らないようにもそもそとサンドイッチを咀嚼《そしゃく》した。

「なぁー、俺らにも女、紹介してくれよ。っと、ああ、わりぃ。小此木君、ちっさくて見えんかった」

馴れ馴れしく近づいてきた倉田が、理人にぶつかって笑いだす。大きな手で頭をぽんぽん叩かれて、顔が引《ひ》き攣《つ》った。

「同じ双子なのに、ぜんぜんちげーよな」

理人の机に尻を載せた倉田が、からかうように言う。まずいと思う暇もなく、ゆらりと恐ろしい形相で類が立ち上った。

「——あぁ？　お前、今、兄貴馬鹿にした？」

背筋が凍るほどの冷たい眼力で倉田を見下ろし、類が低い声で威嚇《いかく》する。とたんに倉田は「ひっ」ととびびり、机から飛びのく。類のほうが倉田より身長が高いのだ。

「いやいやいや、今のは親しみを込めて……っ」

倉田は焦ったそぶりで言い訳している。実はこいつ、身体は大きいが、気が弱い。

「バーカ、ブラコン類の機嫌を損ねてやんの」

「兄のほうには手を出すなって言ってるだろ」

バスケ部の仲間に揶揄《やゆ》されて、倉田は必死に類へ手を合わせている。類は理人を馬鹿にする者を許さない。ほんの少しでも侮るようなことを言うと、相手かまわず胸倉を摑む。おかげで校内中にブラコンだと知れ渡り、何度からかわれたか分からない。

「類、俺はぜんぜん、ちっとも、まったく気にしてないから！」

理人は顔に笑みを貼りつけて、倉田を威嚇する類の腕を引っ張った。類が舌打ちして、席に着く。

この一瞬で火がつく性格のせいで、校内の男子たちは類を『狂犬』とひそかに呼んでいる。

「類。俺が小さいのをからかわれても、気にするなっていつも言ってるだろ？　しょうがないじゃん。マジで小さいんだしさ」

まだ倉田を睨みつけている類に、理人はため息と共に言った。そそくさと倉田たちが教室を出ていく。

「理人は大人だなー。そういうコンプレックスはないんだ？」

一緒に昼飯を食べていた同じクラスの友人である木下大地《きのしただいち》が苦笑する。大地は黒縁眼鏡をかけてもっさりした髪の、ひょろりとした体形の男だ。理人とはある共通点があり仲良くなった。

「現実は受け止めないと。大丈夫、俺の成長は止まっていない」

理人はこくりと頷いた。容姿に関するコンプレックスは理人にはない。

実際——理人は小さい。身長は現在百六十センチで、顔も少し幼い。手足も細いし、髪はさらさらだ。類と同じ遺伝子だが、見た目がぜんぜん違う。だから背の高い類が背の低い理人を「兄貴」と呼ぶと、皆が聞き間違いかと二度見する。

「まぁ、理人も顔、綺麗だもんな」

何気なく大地が理人を見て言うと、それまで倉田がいなくなったドアを見ていた類が、じっとりとした目つきを大地に移す。

「お前、まさか兄貴を狙ってんのか」

類が大地のほうに身を乗り出して、とんでもない発言をする。大地は飲んでいたパック牛乳を咽に詰まらせ、咳き込んだ。愚弟のせいで、大地には迷惑をかけている。ブラコンの度が過ぎている弟は、理人の周囲にいるすべての人間を疑ってかかる。

「客観的な意見だよ！　いくら可愛くても、理人は男だろ！」

大地は顔を赤くして否定する。こんな不毛な会話は生まれてから何度も体験している。自分を狙う男などいるわけがないのだが、類にとってはそうではないらしい。

いや——一人だけいる。執拗《しつよう》に理人を狙う男が。

「ふーん……ならいいけど」

うさんくさそうに大地を見やり、類がサンドイッチを口に押し込む。そもそも本来は、大地と二人で昼飯を食べたいところに、隣のクラスの類が毎日割り込んで三人で食べているのだ。少しは気を遣って大地と仲良くしてほしい。

「ごめんな、こいついつも馬鹿なことばっか言うんだ」

理人は大地の背中を撫《な》でて、フォローに努めた。類の重度のブラコンを知りつつ、理人と仲良くしてくれるのは今や大地くらいだ。この友人を失ってはならないと、肝《きも》に銘《めい》じた。

「はは……。俺も双子だけど、違いすぎてびっくりすることだらけだよ。そういやお前ら、双子ならではの不思議な力とかあるのか？」

大地が話題を変えようとしてか、首をかしげて言う。

そう、大地と仲良くなった理由――大地も双子なのだ。とはいえ大地は二卵性双生児で、もう一人の片割れである海《うみ》という女の子は女子高に通っている。同じ塾へ通っているので、海とも顔見知りだ。同じクラスになった時、大地から「実は俺も双子なんだ」と話しかけられて仲良くなった。

「不思議な能力かぁ」

理人は呟いた。双子ならではのシンクロ、テレパシー、よくある不思議な話。理人たちが双子であると知ると、よく聞かれる質問だ。むろん、理人はこう答える。

「いやぁ、ないない。あるなら面白そうだけどな！」

明るく笑いながら、ちらりと類を見る。

類はつまらなそうな顔で、大地をじっと見つめている。

『あー、こいつ邪魔だな。うっぜ。兄貴と二人で食べたいのに』

いつものように『声』が聞こえてきて、理人は内心顔を引き攣らせた。

双子の不思議な能力などない――と言いたいところだが、実は、ある。恐ろしいことに、とってもおきのものが。

類の視線が理人に移り、頬からうなじの辺りを観察される。

『兄貴の肌、綺麗だな。吸いつきたい。あー、マジでぶち犯したい』

平然とした顔つきの類から、恐ろしく邪悪な心の声が聞こえてきて、理人は急いで視線を落としながらサンドイッチを口に詰め込んだ。

(何で弟の心の声が聞こえるんだろう……神よ！　この無駄な能力、取り消して！)

自分を犯したいという弟の欲望を聞きながら、理人は神に祈りを捧げていた。


理人がその能力に気づいたのは、十歳を過ぎた頃だった。

何気ない類の呟きみたいなものが聞こえてきて、最初は空耳だと思っていた。それが空耳ではないと気づいたのは、類が担任やクラスメイトについてぼやき始めた時だ。

当時、理人と類は別のクラスにいて、類の担任の教師やクラスメイトのことは、理人は何も知らない状況だった。それなのに類の心の声が聞こえてきて、類と仲のいい子や悪い子、問題のある子などの情報がどんどん入ってきたのだ。もしかしてこれは本当に類の心の声かもしれないと思い、理人はひそかに類へクラスの子について尋ね、答え合わせをした。すると恐ろしいことにすべて一致して、類の心の声が聞こえていたのだと発覚した。

最初、理人は興奮してこれを類に教えようとした。けれど、よく考えてみたら、心の声が聞こえるというのはいい話ではない。何もかも筒抜けだと知ったら、いくら類だって怒るし、恥ずかしいだろう。その時すでに類は理人より成長していて、喧嘩をすると押さえ込まれることも多々あった。

理人は、結局類に秘密を明かさなかった。

声が聞こえるのは類だけだったし、言わないほうがお互いのためと思った。

言えなかった理由は他にもある。中学校に上がる頃から、類は理人に対してある種の欲望を抱くようになっていた。双子であるというだけでなく、理人と類は仲がいい。くっついていることもしょっちゅうだったし、風呂も一緒に入るし、ベッドも一緒だった。自慰を覚えたのも同時で、ネットの動画を盗み見て、風呂場で互いの性器に触れるという、今思えば無知ゆえに馬鹿な真似をしてしまった。幸い、理人はすぐにその異常性に気づき、「こういうことは一人でしよう」とそれ以降は拒絶するようにしたが、類の中にトラウマに似た衝動が残されたのは否めなかった。

身体が成長するにつれ、類は欲望の対象として理人を見るようになった。

高校三年生になった今は、執着といってもいいのではないかと感じるくらい、理人を犯す妄想ばかりしている。

とはいえ、表向きに類はそういった発言を一切していない。いつも理人にくっつき、理人をからかったり悪口を言ったりする者がいれば、容赦しないという偏愛ぶりだが、かろうじて行きすぎたスキンシップの枠に収まる程度までしかしてこない。頭の中では何万回も犯され、愛の言葉を百万回くらい聞かされているが、今のところ類は兄弟であることをやめていない。

（ホントにあいつの俺への執着には困ったもんだよなぁ……）

その日は久しぶりに類と離れられて、理人は肩の荷を下ろした思いで大地と下校していた。理人が心の声が聞こえるのは類だけで、類さえいなければ静かな暮らしが戻ってくる。

今日、類はモデル事務所に向かっている。雑誌の仕事がいくつか入っていると面倒そうに言っていた。十五歳の秋、原宿《はらじゅく》を歩いている時にスカウトされた類を、後押ししたのは理人だ。類はその頃すでに身長が百七十センチ近くあって、まだまだ成長途中だった。

「モデルなんて面倒くせぇし……」

名刺を渡された類は乗り気じゃなかったが、理人が目を輝かせて「すごいじゃないか」と言うと態度を改めた。

「かっこいいな！　俺の弟がモデルなんてすごいよ！　絶対やるべきだよ！　俺もかっこいい類が見たいな！」

　まくしたてるように言って類をその気にさせようとすると、ふだん褒めないせいか、類が頬を紅潮させて悩み始めた。実は、この時、理人は打算的な考えで類の背中を押していた。当時の類は離れているのが耐えられないとばかりに、四六時中理人の傍にいた。理人は一人になる時間が欲しかった。類がモデル活動をしてくれたら、少し離れてくれるのではないかと期待したのだ。

「ふーん……。兄貴がそう言うなら……まぁ、やってもいいけど」

　かくして、類は理人に褒められたい一心でモデル活動を始めた。不埒《ふらち》なきっかけだったかもしれないが、三年続けた今では仕事もそれなりに楽しいようだ。もちろん未だに、類が載っている雑誌はすべて買って褒めることは忘れない。理人が興味をなくせば、類は多分モデルを辞めてしまう。その辺のケアは怠りなかった。

「類はモデルの仕事に行ったんだ？　すごいよね、芸能人の友達って初めてだよ。まぁ、類が俺を友達と思っているかどうかは疑問だけど……」

　学校からの帰り道、大地は自嘲《じちょう》気味に笑った。友達どころかうざい消えろと思っているとはとても言えず、理人は笑ってごまかした。

　理人は週に二日、大地と一緒に駅前のステーキハウスでバイトをしている。大地とバイトしていることを類に知られた時は「俺も一緒にバイトする」と言いだしたが、これ以上仕事を増やしたら学業に影響があるというのをこんこんと説得して諦めてもらった。

「でも理人はスカウトされなかったんだ？　理人も顔、綺麗なのに」

不思議そうに大地から聞かれ、理人は頭を掻いた。

「俺じゃ圧倒的に身長が足りないだろ」

理人は明るく笑ってごまかした。実は理人にも声はかかったのだが、せっかく一人になれるのに、モデルなどやるわけがない。ともかく類と離れたい。類の自立を促すためにも必要な措置だ。

「そういや、そろそろバイト辞めろって親に言われたんだけど」

繁華街に差しかかり、大地がため息と共に言った。受験生なのにいつまでやっているんだと父親に怒られたらしい。

「そっかぁー。大地が辞めるなら俺も辞めようかな。もう九月も終わりだもんな」

理人は顔を曇らせ、うろこ雲を見上げた。理人の親は理人の好きなように生きなさいという方針なので、特に何も言ってこないが、確かにもう追い込みの時期に入っているので、進学するならバイトをしている場合ではない。

「理人、進学先の話、類にしたのか？」

思い出したように大地に聞かれ、理人はぴりっと緊張した。

「その話は内緒な！　絶対に類には言うなよ！」

大地の腕を摑み、怖い顔で念を押す。迫力に押されて、大地がこくこくと頷く。

理人は大学受験をするつもりだが、類とは別の大学に進もうと思っている。高校まで、類はずっと理人と同じ学校を受験してきた。絶対に離れないと言うので、仕方なく同じ高校を選んだのだ。いっそ落ちたら離れられると思ったが、遺伝子が同じせいか勉強能力に差はなかったようだ。

けれどさすがに大学くらいは別の場所に行きたかった。せっかくのキャンパスライフだ、類のいないところで謳歌《おうか》してみたい。

親には「そろそろ類も自立しないとヤバい」と説き伏せ、自分は違う大学に進むことを許してもらった。もちろん、類と同じ大学も受けるつもりで、ぎりぎりまで内緒にしている。

「それにしても類ってすごいブラコンだな。こう言っちゃ悪いけど、保護者みたいに見えるよ。双子の絆ってやつなのかな」

ただのブラコンと思っている大地は、ほのぼのとした表情で笑っている。そんな可愛いものではないと言いたかったが、理人は力なく微笑んだ。

駅前のステーキハウスに着くと、裏口から入り、理人と大地は従業員に挨拶しながらバックヤードに辿り着いた。ロッカーで制服に着替え、奥の小部屋にいる店長に挨拶する。

「すみません、店長。俺たち、そろそろ受験なのでバイト辞めたいんですけど」

大地が神妙な顔つきで、パソコンへ向かっている店長に切り出す。店長は三十代のフチなし眼鏡をかけた女性で、去年からこの店に配属された。店長は辞めたいと聞くなり、椅子から立ち上がり、必死な形相で大地と理人の肩に手を置いてきた。

「困るよぉ！　ぜんぜん人足りないのに！　お願い、ちょっとでもいいから続けてくれない⁉　融通利かすから！」

店長にまくしたてられ、大地が苦笑する。

「や、もう絶対辞めろって親から言われてるんで」

大地は穏やかな雰囲気をしているが、こういう時はどんなにすがられてもきっぱり断れる。理人も大地の隣で申し訳なさそうな顔をしていると、店長がターゲットを理人に絞ってきた。

「お願い、小此木君！　週一でもいいから！　人手不足で回らないのよ！　お願い、お願い！」

年上の女性に迫られ、理人は「いや、その」と口ごもった。

「万年人手不足なのは知ってるでしょ!?　この通りだから、もう少しだけがんばってくれない？

次の子が入ってくるまででいいの！」

しゃべる隙も与えないほど言い募られ、理人はうろたえて「はぁ」と曖昧な返事をしてしまった。

それを了承と捉えたのか、店長が顔を輝かせて理人の肩をばんばん叩く。

「ありがとう！　小此木君、優しい！　頼りにしてるのよ！」

大声で礼を言われ、理人は何故かまだ続けることになってしまった。

「理人、大丈夫なのか？　もっとはっきり言わないと駄目だよ？」

廊下に出た大地から心配そうに言われたが、今さら絶対辞めるとは言えず、仕方なくもう少しだけ週一で続けることにした。

理人は押しに弱い。強く頼まれると断れない気の弱さを持っている。類といる時は、類が断ってくれるので、それに甘んじていたという駄目な部分がある。

「う、うん。まぁ、新人が入ってきたら、辞めるよ」

大地とは厨房で別れ、理人はホールに入った。注文を受けて、料理を出す。接客は苦手な理人だが、店長には何度言ってもホール係にされてしまう。君がホールにいると、売り上げが上がるとか言われたが、絶対気のせいだと思う。

「お待たせしました、注文は以上でよろしいでしょうか」

客の注文した特大ステーキが載った皿をテーブルに置き、理人は笑顔で聞いた。若い男の客が一瞬理人をガン見して、視線を足元に向ける。

「あ、ハイ」

客の目ががっかりしたのが分かり、理人は貼りついた笑顔のままテーブルから離れた。きっと女と勘違いして落胆したのだろう。理人はハーフで幼さの残る中性的な顔立ちをしているので、じろじろ見られるのが通常になっている。

今日は平日のせいか、夕方になってもそれほどホールは混んでいない。このバイトを始めて一年が過ぎるので、作業は慣れたものだ。客の帰ったテーブルを綺麗にして、忘れ物がないか確認する。備品のチェックもしていると、衝立の向こうからくぐもった声が聞こえてきた。何だろうと思い、そっと窺《うかが》うと、OL風の若い女性がステーキを頬張りながら涙を流していた。そんなに不味かったかと焦ったが、味のせいではないとすぐに察した。食べ終えた鉄板が数枚山積みになっている。きっとやけ食いしているのだろう。女性の瞼は腫れていて、延々泣いていたと分かった。

「あそこの客、もう一時間くらい泣きっぱなんだけど」

厨房に戻ると、同じホール係で大学生の由紀《ゆき》がうんざりしたように言う。

「理人、コーヒーのお代わり勧めて、いい加減泣くのやめろって言ってきて」

由紀は体育会系女子なので、高校生の理人は顎で使っていいと思っている。

「え、そんなこと俺、言えな……」

怯んでいると、無理やりコーヒーの入ったポットを押しつけられた。先輩には逆らえないので、理人はしぶしぶと窓際の席で泣き続けている若い女性の席に行った。

「コーヒーのお代わりはいかがですか?」

仕事で身についた笑顔で声をかけると、若い女性が理人を見つめる。泣きすぎてマスカラが落ち、恐ろしい顔になっていると知っているのだろうか。これは由紀が救いの手を差し伸べるはずだ。何だかんだと由紀は困っている人を放っておけない人だから。

「天使……?」

溶けそうな目で聞かれ、理人は吹き出しそうになりながら、空になったカップに温かいコーヒーを注いだ。ついでにそっと新しいお手拭きを置く。

「お姉さん、何があったか知りませんが、元気出して下さい」

微笑みながら言うと、若い女性はパッと泣きやんで、目元を擦った。ああ、もっとひどくなるのに……。理人は顔を引き攣らせて、息を呑んだ。

「あっ、やばっ。マスカラ落ちてる!」

若い女性も目を擦った際に気づいたらしく、慌てた様子でバッグから鏡を取り出す。鏡に映る自分を見て、我に返ったのだろう。青ざめた表情になって、うつむいた。唯一の救いといえば、だいぶ前からその顔だったというのに気づいていないことだろう。

「す、すみません。コーヒー、ありがとうございます」

若い女性はすっかり涙が引いた様子で、ペコペコ頭を下げている。理人は笑顔のまま一礼して厨房に戻った。あとでそっと窺うと、若い女性は落ちたマスカラを必死に拭いている。

「よくやった」

由紀は満足げに理人の肩を叩く。由紀が行ったほうがよかったのではないかと言うと、女同士だと後で憎まれることがあるからと鼻で笑われた。泣いていた女性は結局注文したステーキを全部食べ終え、そそくさと帰っていった。やけ食いとはいえ、五人前食べたのはたいしたものだ。

バイトが終わる時間が近づき、理人はホール内を歩き回り、仕事をこなした。

夕方四時からバイトに入り、終わった頃には七時を過ぎていた。秋が近づいてめっきり涼しくなり、この時間帯は半袖では寒いくらいだ。大地と駅で別れ、最寄りの駅で降りてなるべく明るい道を通って帰宅する。

スマホを開くと、類から『今から帰る』という連絡が三十分前に入っている。類はマメな男で、離れている時はどこにいるとか、何時頃帰るとか、ちょくちょく連絡を入れてくる。そしてそれを自分にも強要するので、理人も急いで帰宅途中だと返信した。類の執着ぶりは度を越していて、すぐに返事をしないと大量の着信に悩まされる羽目になる。互いのスマホにGPSで居所が分かるようなアプリを入れたいと言われるのもしょっちゅうで、辟易《へきえき》していた。

(ホントにあいつ、やべーよな)

類について考えるたび、このままじゃまずいと思うのだが、理人がどんな態度をとろうと、これまで類が興味を失うことはなかった。冷たくしようが、素っ気なくしようが、類が自分を好きな気持ちはなくならない。これが他人だったら距離を置くこともできるが、兄弟じゃまず無理だ。だからこそ、大学くらいは別の道を進みたい。

「ただいまー」

帰宅すると、リビングから生姜焼きのいい匂いがする。

「お帰り、リヒト」

母のシェリーが玄関に顔を出して、理人の頬へキスをする。母は必ず帰宅した息子にキスをする。小さい頃はどこの家庭でもやっているのかと思っていたので、そうではないと知った時、びっくりした。青い目に金髪で色白の母は、瞳の色に合った青いワンピースを着ている。理人は母がズボンを穿いているのを見たことがない。どんな時でもお洒落を忘れない、未だに少女のような人だ。

「今日、生姜焼き？　やった！」

理人が浮かれて言うと、母がふふふと笑う。母はフランス人なので、料理のほとんどは洋食だ。たまに和食も作ってくれるが、基本的にお米があまり出てこない。だから生姜焼きの匂いがして、理人は鼻をひくつかせた。

「腹減ったー」

二階の自分の部屋に上がるのをやめ、理人は鞄と上着をリビングのソファに放り投げてテーブルに着いた。

「お帰り」

珍しく父も帰宅していて、すでに夕食を食べている。父の拓郎《たくろう》は外資系の企業で働いていて、背が高く彫りの深い顔立ちをしている。それなりに収入があるおかげで、理人の家は広々とした一戸建てだ。リビングは若い頃デザイナーをしていた母が揃えた洒落た家具ばかりで、友人が家に遊びに来ると「お城みたい」とよく羨望される。ちなみに母のことは『ママ』と呼ぶが、父のことは『父さん』と呼んでいる。

「あー米、うまーい」

母がよそってくれたご飯をかっ込み、理人は生姜焼きを頬張った。味噌汁は豚汁で、今夜はずいぶん濃い味つけだ。理人はこういう料理のほうが好きなので大歓迎だ。

「今日はどうだった？　素敵な出会いはあった？」

テーブルの中央に林檎《りんご》の載った皿を置きながら、母がフランス語で話しかけてくる。母はよくこのフレーズを使う。

「特にないかな。泣きながらステーキを貪るお客がいたけど」

フランス語で答え、理人は肉でキャベツを巻いた。母が小さい頃からフランス語を使っていたおかげで、理人も類もフランス語ができる。里帰りと称して何度かフランスに行った時には、自分の言葉が通じるのが嬉しかった。

「まぁ、どうして泣きながら食べていたの？」

父の隣の椅子に腰かけながら、母が興味深げに聞く。

「さぁ。でもその人、五人前食べてたから、元気だと思う」

他愛もない客の話をしていると、玄関のドアが開く音がして、「ただいま」と類の声がした。母がすぐに立ち上がり、玄関に出迎えに行く。

「兄貴、返信が遅い」

リビングに入ってきた類は、不満そうに言う。やはり三十分返信をしなかったのはまずかったようだ。

「ごめん、ごめん。ほら、夕飯、生姜焼きだぞー」

食べている途中だった理人は、制服姿のまま隣へ座る類に愛想笑いを浮かべた。類も生姜焼きが好きなので、運ばれてきたご飯をもらい、美味しそうにぱくぱくと食べ始める。

「ルイは素敵な出会いはあったの？」

　母がフランス語で類に話しかける。

「ない」

　類は素っ気なく答えて、すごい勢いで箸を動かす。

「まぁ、つまらないわね、我が息子たちは」

　母は愛こそ一番という浮世離れした人なので、恋愛話を聞きたがる。これまで一度も息子たちの口から聞いたことがないのに、めげない人だ。

（類の恋愛観がねじ曲がっているって知ったら、ママ、どーすんのかな）

　皿を空にしながら、理人は内心ため息をついた。

　理人は女性とつき合ったことがないが、類はすでに何人もの彼女がいた。自分に対して妄想を抱く類は、理人に近づく女性を常に気にしている。信じられないことだが、過去、理人が可愛いなぁとか好きだなぁと思った女性は、全部類にもっていかれている。しかも、ある程度つき合ったらすぐ捨てるという質の悪さだ。

（こいつ、絶対俺に彼女作らせる気ないよな……。でもそろそろ俺だって彼女の一人くらいほしいぞ。大学に入れば、類と離れられれば、本気モードで彼女を作ろう！）

　自分の好きな子を端から奪っていく類に、怒りとか憎しみが湧かないのかと聞く友人もいたが、類の心が聞こえるせいで、そういう気持ちはあまり起きない。むしろ好きだと思った子の本性が見えてがっかりする。類より自分を愛してくれる女性なんているのだろうかと不安になるくらい、類の愛が大きすぎる。

『今日のカメラマン、マジきもかったな。べたべた触ってくるし、うぜー。あのモデルの女も、何気に胸押しつけてくるし』

類の心の声が聞こえてきて、理人は無意識のうちに目を逸らしてお茶を飲んだ。どうやら撮影現場でいろいろあったようだ。胸を押しつけられるなんて理人からすれば羨ましいとしか言いようのない話なのに、類は本気で嫌悪している。

(こいつ、実は女が駄目なのか？　モデルなんて可愛い子ばっかりだろ。いや、やることやってるから駄目ってことはないか……)

類は馴れ馴れしい女性が好きではないらしく、よく心の中で悪態をついている。とはいえ、女性と何度も性行為をしているのを知っているので、女性が嫌いなわけではない。時々、回想している中に、女性とのいかがわしい行為も含まれている。一人、セックスフレンド的な女性がいるのも知っている。性欲が溜まるとその女性と会って、身体だけのおつき合いをしているようだが、理人には一切言わない。

「シェリー。一緒に映画見ない？」

夕食の後は、父が母をソファに誘い、どんな映画を見るか二人で話している。理人の家ではほとんどテレビは見ない。映画とニュース、それ以外は禁止されている。

「あ、ところで今日……」

食べ終えた皿を片づけようとして振り返ると、ソファに座った両親がキスをしていた。

(はぁー。いくつになっても、イチャイチャしてんなぁー)

両親の仲がよすぎると、目のやり場に困る。理人は皿を片づけ、鞄と上着を持って二階の部屋に向かった。

「兄貴、待って。勉強すんなら一緒にしよう」

早々に夕食を食べ終えた類が、階段を駆け上がってくる。

「あ、うん……」

本当は類が食べている間に部屋着へ着替えたかったのだが、その目論見は失敗した。こんなことなら帰ったらすぐに着替えをすませておくんだった。

(こいつ、着替えてる時、すげーガン見するから怖いんだよな)

心の中で憂鬱《ゆううつ》になりつつ、理人は自室のドアを開けた。二階には三部屋あって、それぞれ十分なスペースがある。けれど厄介なことに、理人と類は同じ部屋で過ごしている。一部屋はキングサイズのベッドがある寝室、もう一部屋は互いの勉強机やクローゼットがあるふだん過ごす場所、残りの一部屋は物置になっている。高校生になる前、一応理人も一人部屋が欲しいと両親に訴えてみたのだ。けれど類の頑なな拒否により、十八歳になった今も同じ部屋を使う羽目になっている。つまり、この家で理人が一人になれる場所は、トイレと風呂のみ。年頃の男の子には厳しい状況だ。

「今日は何の雑誌の撮影だったんだ?」

部屋に二人きりになり、理人は類の気持ちを逸らすため、笑顔で尋ねた。クローゼットを開け、スエットの上下を取り出しながら、じーっとこちらを見ている類に背中を向ける。

「ああ、今日はノエルって雑誌の……」

素早くネクタイを外し、シャツを脱ぎ始める理人に、類が黙り込む。背中に視線を感じ、理人は鼓動を速めた。

「――俺、撮影って言ったっけ？」

ふいにいぶかしげに聞かれ、理人はどきりとして青ざめた。

（まずい、心の声が聞こえてたから、言われてないのに決めつけた）

焦って視線を動かし、理人はなかなか外れないボタンをとる振りをした。

「違ったっけ？　月末に多いような気がしてさ」

とぼけた声で答えると、そうだっけ、と類の声が和らぐ。時々こういう失敗をしてしまう。気をつけなければ。類の心の声が聞こえてしまうのは、トップシークレットだ。

『兄貴、不器用なんだよな。もたもたしちゃって』

理人がようやくボタンを外し終えると、類のからかうような声がした。不器用で悪かったな、と心の中で反論し、ズボンを脱ぐ。

『脚ほっそ。真っ白』

生脚を出していると、類の声がどんどん届いてくる。だから一緒に着替えるのは嫌なのだ。じろじろ見られているのがもろに分かるし、羞恥心で赤くなりそうになる。理人は類に背中を向けたまま、急いでスエットに着替えた。

「俺、イヤホンつけてやるけど、いい？」

自分の机に向かうと、理人は参考書を広げて、イヤホンを掲げた。スエットに着替えて隣の机に座った類が、分かったというように肩をすくめる。リスニングの教材をイヤホンで聞き、理人は少しだけ気が楽になって肩から力を抜いた。

類の心の声はあくまで声の一つなので、イヤホンをつけて別の音源を聞いている時は、聞き取りづらくなる。こうしないと四六時中、類の声が聞こえて頭がおかしくなる。

（集中、集中）

類のことは気にせず、理人は英語の文章問題を解いていった。英語よりフランス語のほうが百倍簡単なのに。

「どっちか、お風呂に入って」

二時間ほど勉強していると、部屋のドアがノックされ、母が声をかけてきた。類に先に入るよう促し、理人は問題集と向き合った。三十分くらいで類が風呂から上がり、入れ違いに理人も風呂に入る。

「はー……」

今日も一日疲れたと、湯船に浸かる。今日の類はあまり具体的な妄想をしなかったので、理人も助かった。時々生々しい妄想をするから、こっちまで欲情してしまう時があるのだ。風呂くらいでしか自慰できないので、いろいろ大変だ。

（あとは最後の難関が……）

理人は風呂に浸った後、脱衣所で髪を乾かし、観念して部屋に戻った。もう時刻は十一時。寝る時間だ。

「兄貴、寝よ」

明日の支度をうだうだしていたパジャマ姿の理人に、類がせっつくように言ってくる。

「おう……」

これ以上伸ばしても無駄だと、理人は隣の寝室へ移動した。中学生の頃までは二段ベッドだったのだが、類の身長がぐんぐん伸びたせいで、二人の寝室にはキングサイズのベッドが置かれることになった。そもそも何で同じベッドで寝なければならないのか、理人は納得できない。とはいえ、他に寝る場所はないので、いつものようにここへ横たわるしかない。右側が理人で左側が類という暗黙の了解がある。

「おやすみ」

理人はもそもそと布団に潜り込み、いかにも眠いという振りをして見せた。けれどそんなつたない演技は無視され、類が理人の肩に手をかけてくる。

「おやすみのキスがまだだろ」

隣に潜り込んできた類が、大真面目な顔つきで言う。

最後の難関がこれだ。お帰りのキスを毎日母親がやるせいで、小さい頃からキスがふつうになっていた。いつから始まったか覚えていないが、寝る前におやすみのキスをするのが通例になってしまった。

一応、理人も言ったのだ。高校生になったし、そろそろやめないか、と。それに対する類の返答は「やめない」だった。類に強く言われると、すごすごと引き下がってしまうのが理人の駄目なところだ。

「ん」

屈み込んできた類が、理人の頬に手を当てて唇にキスを落としてくる。母がやっているのは頬だと毎回突っ込みたくてたまらないが、この場で何か言うのはためらうものがあり、理人は大人しく受け入れている。

「……？」

キスを終えてホッとしていると、類は額がくっつきそうな距離でまだ見つめている。

「な、何……？」

シリアスな雰囲気で見つめられると、鼓動が速まる。まさか突然襲い掛かったりしないだろうなと緊張した。

「……」

無言で見つめられて固まっていると、再び類が屈み込んで深く唇を重ねてきた。びっくりして硬直したが、理人が突き飛ばす前に類は身体を離した。

「おやすみ」

類は何事もなかったように理人へ背中を向けて横たわる。理人はドキドキが治まらず、ぎくしゃくした動きで類に背中を向けた。何で二回もしたのだろう。しかもいつもより、深いキスだった。

『びっくりした顔して。あー、唇柔らかかった。舌、入れたかったな』

背中を向けている類の声が聞こえて、理人は真っ赤になって更に鼓動が速まった。さすがに舌を入れられたら、突き飛ばしていいだろうか。最近、類がぐいぐい攻め込んできている気がして、落ち着けない。

『兄貴ってどっか抜けてるよな。こんなキス、ふつーしねーだろ。まぁ、あんまやりすぎっとさすがに拒否られるから、ほどほどにしないと』

背中越しに聞こえる声が、理人には拷問だ。これ以上は拒否するに決まってるだろうと、突っ込みたくて仕方ない。早く寝てくれと祈るばかりだ。

『あー兄貴、好き。好き。好きだ、ヤリたい。キスだけじゃ、ぜんぜん足りない。好きだ、好き。俺のこと好きになって。俺だけを見て』

圧倒的な熱量を持って、類の好きという声が脳を満たしていく。理人は無性に泣きたくなって、身体を丸めた。こんなに好き好き言われて、平気でいられるわけがない。頭がおかしくなる。いや、もうおかしくなっているのかもしれない。

双子には不思議な能力があると言われているけれど、こんな能力は欲しくなかったと理人は心底思った。

知りたくなかった。類のこんな気持ち。心の声など聞こえなければ、知らずに過ごせたのに。

途切れることなく伝わってくる類の声に心を惑わされ、理人はなかなか寝つけずにいた。

■2　接近

　身体を揺さぶられて、名前を何度も呼ばれた。眠い目を擦って目を開けると、ホッとしたような顔で類が覗き込んでいる。

「兄貴、もう起きろよ」

　寝室はすっかり明るくて、とっくに朝が来ていたことを理人に教えた。目覚まし時計が鳴っていたらしいが、ぜんぜん聞こえなかった。あくびをしながら起き上がり、理人はパジャマ姿のまま顔を洗いに行った。

「おはよう、リヒト。早く食べなさい」

　制服に着替えてリビングに顔を出すと、母がエプロン姿で紅茶を淹れている。今朝のメニューはクロックムッシュ。パンにハムとチーズを挟んでとろりとしたベシャメルソースを載せた母の定番の朝食だ。まだ少し眠気が残っていて、熱々の紅茶を飲んで舌が火傷した。

「兄貴、そろそろ行かないとヤバい。今日は、電車が混んでるはず」

　理人より朝が強い類はとっくに支度をすませていて、食べている途中なのに急き立ててくる。急いでクロックムッシュを胃袋に収め、紅茶をがぶ飲みして鞄を摑んだ。

「いってきます」

類に手を引っ張られながら家を出て、速足で駅に向かった。いってらっしゃいのキスができなくて、母は不満そうだったが、たまにはいいだろう。徒歩十分で着く駅の構内は、いつもより人があふれていた。人身事故でダイヤが乱れているらしい。

通勤、通学でごった返すホームに立っていると、女性のひそひそ声が聞こえてくる。

「あ、ほら、あれが小此木兄弟だよ。双子なんだって」

「えー。双子なのに、何であんな違うの？」

「お兄さんのほう、イケメン！　弟も可愛い」

ちらりと振り返ると、他校の制服を着た女子がこちらを見てきゃあきゃあしている。理人たちはハーフの上に双子なので目立つのだ。多分、君たちは兄と弟を間違えている。心の中でそう突っ込み、理人は入ってきた電車に目を向けた。すでに満杯だ。

「えー、乗れるの？」

扉が開いて、どっと人が出てくると、類が果敢にも乗り込もうとする。一本待っても間に合うのではと思ったが、類に背中を押されて満員電車へ乗り込んだ。三駅の辛抱とはいうものの、身長の低い理人に満員電車はつらい。大きな男に囲まれると沈んでしまうし、体重が軽いせいか時々身体が浮いている。今日も大柄なサラリーマンに囲まれ、ぎゅうぎゅうに潰された。

（ん……？）

電車が動きだすなり尻に違和感を覚え、理人は固まった。……気のせいか、尻を撫でられている気がする。最初は女子と間違えているのかと思ったが、理人は学生服を着ていて、触れば男だと分かるはずだ。もぞもぞと理人が動くと、いきなり尻を揉まれた。これは間違いなく、痴漢行為だ。

（類、まさかこんな電車で痴漢行為を！）

自分の尻を撫でるなんて類に違いないと思い顔を上げると、吊革に両手で摑まっている類がいる。

（え、類、じゃない……？　ひぃいい。気持ちわるっ）

見知らぬ誰かが尻を揉んでいると気づき、理人は真っ青になった。誰が触っているか分からないくらい混んでいて、どっと冷や汗が出た。理人が動けないのを察してか、手が、大胆にも尻の穴をぐりぐりと押してくる。

「兄貴？」

理人が青ざめて涙目で類を見上げると、異常を察したのか、ぎゅうぎゅうの人波の中に強引に類が割って入る。

「こっち来て」

類が男たちの間に壁になり、威嚇するように周囲を睨みつけた。すっと手が離れ、安堵して類の陰に隠れる。兄として少々情けないが、こういう時類はとても頼りになる。だが――。

『まさか、兄貴、痴漢されたのか⁉』

類の怒りの声が怒涛《どとう》のように押し寄せる。怒りすぎると何を言っているのかさっぱり分からなくなり、理人は耳をふさぎたくなるような怒声に耐えなければならなかった。こんなことなら音楽でも聴いているんだったと後悔する。

目的の駅に着き、理人はぐったりして類とホームに降り立った。朝のラッシュは大変だ。類の腕が肩にかかり、心配そうに覗き込んでくる。

「……ありがとな、類」

理人は笑顔で類に礼を言った。

「何されたの？　痴漢されてた？」

物騒な目つきで聞かれ、理人は背筋を震わせた。痴漢はこれが初めてではない。以前も触られた時、類は相手の男の胸倉を摑み、殺しかねない形相だった。男なのに痴漢されたなんて恥ずかしいから、大事にはしないでくれと必死に頼み込んで事なきを得たのだ。

「お前のおかげで助かったよ、やー。マジで怖かった」

犯人は誰だと周囲のサラリーマンを睨みつける類の背中を押して、急いで駅を出た。なるべく明るく、気にしてないというそぶりをしなければ、この後さらに厄介なことになる。

『クッソ、満員電車なんだから気をつけなきゃならなかったのに。後ろにいたあのじじぃか？　理人は嫌がるけど、ぼこぼこにしてやんないと気がすまない』

学校までの道を歩きながら、類は険悪なムードで後悔と怒りを滲《にじ》ませている。

「今日は体育があってさー」

理人は類が考え込まないようにと、必死に話を振った。類は相槌を打っているが、人の話を聞いていない。

『兄貴に勝手に触りやがって、ぶっ殺したい。兄貴、青くなってたな。気持ち悪かったんだろうな……。やっぱ、男に触られんの、ヤだよな……』

類は悶々と考え続けている。このままいくと確実に痴漢も自分も同じようなものという自虐めいた暗い思考に陥る。聞いているこっちの身にもなってほしい。妄想で犯されるのも困るが、延々と己の性の葛藤を聞かされ続けるのも拷問だ。そもそも見知らぬ痴漢野郎と類が同じなわけがない。

類とのスキンシップとはぜんぜん違うのだと言ってあげたい。

「類！　聞いてるか⁉」

理人は自虐ループに陥りかけた類の背中を強く叩いた。ハッとしたように類がこちらを向き、戸惑った表情になる。

「あ……何？」

類が頭を掻いて聞く。

「何じゃねーよ。上の空だから、しゃっきりしろって。今日は塾の日だろ？　帰り、助けてもらったお礼に何かおごるよ。下駄箱のところで待ってるから」

痴漢などなかったように話を振る。理人と類は週に三日、塾に通っている。類はモデル活動もしているが、進学を考えているので塾がある日は仕事を入れないようにしている。

「ああ……。ん、分かった」

やっと類の顔が晴れて、うつむきがちだった顔が前を向く。手のかかる弟だと思いつつ、自虐めいた呟きが消えたので安心した。

類が自分を好きだと知った時は驚いたが、やはり愛する弟なので悩んだり苦しんだりはしてほしくない。もちろん類の気持ちに応える気はないが、類に幸せになってもらいたいのは本当だ。

校舎に入り、教室の前で類と別れると、理人は妙に疲れて窓際の自分の席の机に突っ伏した。距離が開くと、類の心の声は聞こえなくなる。今日もまた昼休みに押しかけてくるのだろうかと思いを馳せ、理人は頬杖をついた。

授業を終えた後は、類と一緒に制服のまま塾に向かった。隣駅にある塾は講師の質がいいともっぱら有名で、実際教え方も上手いし成績も上がったため通っている。小腹が空いたので、途中にあるコンビニに寄り、総菜パンを買った。

「類、カレーパンでいい？」

おごると言ったので、理人は棚にあるカレーパンを手に取った。類はカレーパンが大好きで、パン屋に行くと絶対手に取る。一方、理人は甘いパンが好きなので、チョコを挟んだデニッシュを手に取った。

コンビニの前でパンを貪っていると、前方から制服姿の男女が近づいてきた。

「理人、類」

手を振って近づいてきたのは、大地と海だ。家が近いので、大地は一度帰宅してから塾に来ている。女子高に通っている海は目のくりっとした気が強そうな女子だ。似ている部分もあるが、並ぶとやはりあまり似ていない。

「ねぇ、パン食べてるとこ悪いけど、おはぎ持ってきたから食べない？　おばあちゃんが友達にもあげろって」

海はセーラー服の上にだぼっとしたカーディガンを着ている。手には風呂敷包みを持っていて、理人と類の前に差し出す。大地はどこか恥ずかしそうなそぶりで、そっぽを向いている。気のせいかいつもの二人の雰囲気と違っていて、ぎこちない。

「おはぎ……って何?」

理人は困惑した表情で海と大地を交互に見た。とたんに「えーっ‼」と海と大地が声を上げた。有名な食べ物らしいが、理人は知らなかった。隣にいた類に「知ってる?」と聞くと、知らんと返される。

「何か甘いもんだろ? よく知らないけど」

類が興味深げに風呂敷包みを覗くと、海が意気揚々と理人たちをコンビニの前にある公園に誘った。塾の時間まで三十分くらいある。

「やっぱ理人たちって、日本の文化に精通してないんだね。お彼岸にはおはぎを食べるものなのよ」

ベンチに座って風呂敷包みを広げた海が、得意げに話す。

「いや、俺たち日本で生まれ育ってるけど」

類が小声で突っ込みを入れる。

「えっ、じゃお前ら、おはぎとか食卓に出てこねーの? マジかよ。俺ら、この時期はいつも死ぬほど食わされるのに」

大地が羨ましそうに呟く。海が風呂敷を解くと中から漆塗《うるしぬ》りの重箱が出てきた。蓋を開けると、黒や黄色の物体がぎっしり詰め込まれている。

「え、何これ? 餡子《あんこ》?」

理人が素朴な疑問を述べると、海が呆れたような目で見てくる。

「ご飯を餡子で包んでる食べ物よ。この列は胡麻《ごま》で、この列はきなこね。手づかみでいいよ。食べてみて」

海に促され、理人は類と目を見交わし合い、それぞれ一つ摘まんでみた。もちっとした食感と甘いお米の味が口の中に広がる。

「へー。美味しいかも」

理人は一口食べておはぎが気に入り、ぱくぱくと口に頬張った。

「甘い……」

類はあまり甘い食べ物が好きではないので、微妙な顔だ。

「甘いよな？　俺もあんま好きじゃねーんだよ。やっぱ双子でも味覚違うんだー。俺んとこも海は甘いもん好き、俺は辛いの好き。でもこの時期は強制的に食べることになってる。ばーちゃんが友達にも持ってけってうるさくって」

大地は類に共感して、顔を顰《しか》めている。

「えー。美味しいじゃん、おはぎ。理人だけだよ、分かってくれるの」

海は胡麻のおはぎを手で摑み、嬉しそうに食べている。学校帰りでお腹が空いていたのもあり、理人はきなこと胡麻も次々と頬張った。こんなに美味しいのに、類は一個で十分だという。

「一卵性でも味覚って違うんだねー」

海がおかしそうに食べない二人を見て言う。もぐもぐしたまま類を見ると、何故かぷっと笑われた。

『口いっぱいに頬張って可愛い』

類の気持ちが聞こえてきて、無性に恥ずかしくなる。

『可愛いな。自分の顔は好きじゃねーけど､兄貴の顔はすげー可愛く見える。口に胡麻ついてるし』

海が何か話しているが、類の声のほうがよく聞こえてきて、少し居たたまれなくなってきた。唇についた胡麻を手で擦り、水飲み場がないか探した。

「ところで、何でお彼岸におはぎ食べるの？」

おはぎがどういうものかは分かったが、お彼岸との関連性が分からない。

「え？　さぁ。俺も知らん」

大地は恥ずかしそうに口をつぐむ。

「あーもう。大地も類もぜんぜん食べてくれないじゃん。おはぎ残っちゃったよ」

海は重箱に残ったおはぎにがっかりしている。海はおばあちゃんが好きなので、おばあちゃんが作ったものを残されるのが嫌なのだ。

「俺、持って帰って食べていい？」

海を気遣い、理人はバッグをごそごそ探りながら聞いた。海の目がパッと輝き、頬が紅潮する。

理人が空になった弁当箱を広げると、喜んで残りのおはぎを入れてくる。

「よかったー。理人、ありがとう」

「美味しかったから、うちで食べる」

おはぎを詰めたお弁当箱をバッグにしまい込み、理人はちらりと類を見やった。類は気に食わないという目つきでうつむいている。理人が女子に優しくすると拗ねる面倒くさい弟だ。

「何か飲む？　お礼におごるよ。あ、類の分も」

水飲み場で手を洗い、理人は皆に声をかけた。近くの自販機まで一緒に移動して、各自の好きなジュースをおごった。甘いものを食べたので、理人はお茶を一気に流し込んだ。

「なぁー、聞いてくれよ、理人。海の奴がさぁ」

自販機の前で立ち飲みしていると、大地が面白くなさそうに海を睨みつける。どうやらおはぎのことだけでなく、何か喧嘩中のようだ。

「ちょっと、理人と類にまで話す気？　マジ最悪なんだけど。その話するなら、先行くから」

海の目が吊り上がり、怒った足取りで塾に行ってしまった。何事かと目を丸くすると、去っていく海に舌を出し、大地が大きくため息をこぼす。

「俺のエロ本、親に突き出したんだぜ。信じられる？　ありえないだろ。そういうのはそっとしておくもんじゃないの？　マジで恥掻いた」

海が消えると、大地は昨日の怒りを思い出したように拳を握って、炭酸飲料をがぶ飲みする。理人は公園から出ていく海の背中を見やり、苦笑した。

「そうなんだー」

「お前らはいいよな、男の兄弟だもんな。こういう悩み、ないだろ。俺んち、狭いから海と一緒の部屋なんだぜ。カーテンで仕切ってるけどさ。正直、つらい」

大地はやるせない笑みを浮かべ、慰めの言葉を待っている。理人は戸惑いつつ、口を開いた。

「えっと、俺んちもエロ本は禁止なんだ」

理人が小声で言うと、大地の目が点になる。

「は？　どゆこと？」

「その昔、小学生の頃、友達から回ってきたエロ本見てたら、ママがカンカンになって、そういう本は絶対見てはいけないって」

在りし日の想い出を脳裏に浮かべ、理人は薄笑いした。今思えば性知識が皆無ゆえに、リビングで類と一緒に読んでいたのも問題だった。

「えーっ、そんなんアリ？」

「エロ本は禁止だけど、女の子と外泊とか、そういうのはいいんだって。ママ曰く、エロ本は男尊女卑に繋がるからとか何とか」

理人は説明しつつ、やはりうちは変わっているのかもしれないと感じた。小学生だった理人と類に、母は避妊の方法を事細かに教えてくれた。相手の同意があれば、そういう行為はいいものだと母は言う。

「じゃあエロい気分になった時、何見るの？　エロ本駄目なら、ＡＶも駄目だよね？　隠れてこっそり観てるのか？」

大地はすっかり興味が湧いた様子で、重ねて聞く。類はそんなおこちゃまではないと理人は笑ってしまった。

「類は生で見せてもらえるもんなぁ」

ついうっかり口が滑り、場が静まり返った。類が目を見開き、理人を凝視している。大地は類を羨望の眼差しで見つめる。

「な、生でってことは、類はやっぱ、そういう相手が！　いや、そうだよな。お前が童貞のわけない、いわずもがな、くーっ。やっぱリア充だよなー、こうしてしゃべっていられるのも双子っていうとっつきがあったからだよなー。彼女いんの？　いるに決まってるか」

大地は身をくねらせて、まくしたてる。一方類は、探るような目つきで理人を見る。

『誰のこと言ってんだろ？　理人の前で女の話はしたことないはずだけど。理人から奪った子とはキスまでしかしてねーし』

類の視線に冷や汗を掻きながら、理人は青ざめた。こういううっかりが最近多い。類が心の中でよくしゃべるから、つい直接聞いた気がして話題に乗せてしまう。気をつけないと。

「もう時間だぞ、行かなきゃ」

類の恋愛事情に興味津々な大地の背中を理人は押した。ポロリとこぼした一言で、類が疑惑の眼差しを向けている。後で何か言い訳を考えておかなければ。

類の視線を背中に浴びながら、理人は急いで公園を出た。


塾が終わった後は、終了間近のドラマの話をして話題を逸らしたが、類の頭の中は理人の漏らした台詞でいっぱいだった。家に帰り、父と母にもらったおはぎを見せると、父は懐かしいと言いいくつか食べた。母は初めて食べるおはぎが気に入ったようだ。もちもちした食感がいいと言っている。

「春のお彼岸に食べるのはぼたもちって言うんだよ」

父は祖母から聞いたという話をしてくれる。父方の祖父母は埼玉《さいたま》の奥地で暮らしていたが、数年前に亡くなった。母方の祖父母はフランスにいるので、会うのは数年に一度くらいだ。

「今日のルイは無口ね。何かあったの？」

母は類の様子がいつもと違うことに目ざとく気づく。類の頭の中は、理人が指摘した言葉がずっと繰り返されている。さすがに聞いていている理人もつらくなってきた。

「別に……」

類は言葉少なに、すぐ部屋へ引っ込んでしまった。二階に上がると声は小さくなり、理人は少し安心してリビングで勉強をした。

（はー。一緒のベッドで寝るんじゃなけりゃ、楽なんだけどなぁ）

なるべく二人きりになる時間を減らしたい理人からすると、同じベッドで寝起きするのが苦痛になっている。類の心の声のせいで寝つきは悪いし、いつ襲われるのかと気が気ではない。

「理人。お前、本当に内緒で受験するのか？」

ダイニングテーブルで参考書を開いていると、ソファに座っていた父がのっそりやってきて、小声で尋ねた。

「絶対に言わないでくれよ？　ばれたら、類も同じとこ行くって言いだしかねない」

理人は類が下りてこないか気にしながら、囁《ささや》いた。

「うーん。あいつは本当にお前にべったりだからなぁ。心配しているんだよ、お前のことを」

父が気難しい表情になって腕を組む。

「それは分かってるけど、俺も十八だよ？　一生、類といるわけにもいかないだろ？　少しずつでも自立しないと。まずは学校から離れてさ、ゆくゆくは一人暮らしとかしてみたいし」

理人は参考書を閉じて、未来の希望を語った。さすがに別々の大学に進めば、お互い違う仕事に就くだろう。もしかしたら類はモデル業を本格的に行うかもしれない。身内びいきを抜きにしても、類は目立つオーラを持っていて、雑誌の紙面でもいいポジションをとっていると思う。類にはたくさんの可能性があるのだ。それを自分のために潰してほしくない。

「知ったら、絶対怒るわよ？　その時のことを考えると頭が痛いわ」

母はキッチンから茶器を運んでくる。ガラスのポットでハーブティーを淹れ、理人のために熱い一杯を注ぐ。

「……理人。最近はどうなんだ？　体調のほうは」

理人の向かいの椅子に腰を下ろした父が、顔を寄せて尋ねてくる。

「ぜんぜん、問題無し。調子いいくらいだよ」

理人はガッツポーズをして、参考書を開いた。

——理人は数年前、病気を患《わずら》った。そのせいで家族は理人を心配している。類に至っては、四六時中警戒している。日常生活を心配されるような病気ではないので、申し訳なく思うくらいだ。痛いところはないし、苦しいところも、つらいところもない。健康そのもの。そんな自分を、家族は常に案じている。

「むしろ心配なのは類のほうじゃない？　類の精神面をケアしてあげて」

理人が微笑むと、父の隣に座った母が「違いないわ」と肩をすくめる。二人とも、類が理人に執着しているのを察している。類はそれを隠さないし、はっきり口には出さないが、自分が理人を守ると決めているようだ。さすがに類が理人を性欲の対象にしているとは気づいていないが、父も母も理人と同じくらい類を気にしている。

「内緒にするのは賛成できないけど、ルイはリヒト離れが必要よねぇ」

母はハーブティーの匂いに目を細め、父に寄り添う。

「家族が仲良しで困るなんて、贅沢な悩みだな」

父が笑い、ほんわかしたムードになった。理人の家族は仲がいい。類は反抗期があったようだが、理人は反抗期がないまま今に至る。理人は仲のいい父母が好きだし、双子の類にも深い愛情を抱いている。だからこの優しい時間をなくしたくない。類にはいずれ、理人を好きだったことなど若き日の過ちと思って成長してほしかった。

(類が寝ていますように……)

明日の支度を終えて、寝室に入ると、理人は足をすくませた。類がベッドにあぐらを掻き、寝ないで理人を待っている。理人の願いも虚しく、ベッドに入った時点で公園での話をぶり返された。

「兄貴、何であの時あんなこと言ったの?」

眠い振りをしたが類には通用せず、思い詰めた表情で聞かれるという状況に陥ってしまった。本当に口には気をつけなければ。理人は何気ない風を装い、ベッドに寝転んだ。

「ああ、あれは……。だっているんだろ? そういう相手。時々香水の匂いしてたし、何となく分かるよ。雰囲気で」

細かく聞かれると困るので、何となく分かるというニュアンスで押し通すことにした。相手の名前が『ミコ』というのも、年上なのも実は知っている。香水の匂いがしていたかどうかは覚えていないが、(そもそも仕事の時は類も香水をつけるし)事実としてそういう相手がいるのだから、強く言えば類も納得するはずだ。案の定、理人の言い分に類は浮気がばれた旦那のようにうろたえた。

「そー……なんだ」

類は視線を逸らし、顔を歪める。マジかよ、気づかれないようにしてたのに、という声が同時に響いてくる。

「ぜんぜん俺に紹介してくれないけどなー」

気にしていないと訴えるために、理人は笑って枕に頭を載せた。類は無言でうつむき、髪をぐしゃぐしゃと掻き乱した。

『気にしてないのか。当たり前か。兄貴にとって俺はただの弟だし』

やさぐれたような声が強く届いて、理人は思わず顔を顰めた。声が聞こえるだけなのだが、時々類の感情まで伝わることがある。

「つき合ってるわけじゃないし。時々、ヤってるだけ。彼女じゃない」

類がふてくされた声で吐き出す。理人はつい固まって、類を見上げた。悪し様な言い方は聞き逃せず、理人はのそのそと起き上がった。

「お前……それはどうかと思うぞ。そういうつき合いは……」

一応兄として、説教の一つでもしなければと重い口を開いた。類の自分以外への非道な口ぶりは知っているので今さらだが、たまには諫めないとひどくなる一方だ。

「女とつき合ったこともない兄貴に言われたくない」

冷たい目で見返され、理人はぐっと口をつぐんだ。お前が俺の好きになった子を横からとっていくからだろうと言い返したかったが、あえて黙った。

こういう会話は、危険だ。何が引き金になって、類の本音が漏れ出るか分からない。類の本音と向き合う気はない。今のこの危ういバランスを崩されたら、困るのは自分だ。類は重度のブラコン。そこまでしか理人には受け入れられない。

「そうだな、ごめん」

理人はあっさりと謝り、類へ背中を向けて再び布団に潜った。すると焦れたように類の手が肩にかかり、強引に向き直される。力強い手に驚いて、屈み込んでくる類を見上げた。

「兄貴のそういうとこ、ムカつく。何でいつも、すぐ引くんだよ。昔はちゃんと喧嘩してただろ⁉」

怖い形相で迫られ、理人は気迫に呑まれて身を引いた。

「いや、今のお前と喧嘩なんてしないよ。もう体格も何もかも俺より上じゃん」

類に落ち着いてほしくてへらへらすると、カッとしたように類が理人の胸倉を引き寄せる。呆気なく身体を持ち上げられて、気づいたらうなじを押さえながら強引に口づけられた。びっくりして硬直し、類の胸を手で押す。びくともしない。

「……それは兄貴のせいだろ！」

触れた唇を離して、類が怒鳴る。その声にびくっと身体が震えて、我ながら驚いた。自分のせい――そうかもしれない。昔はよかった。同じ顔、同じ身長、同じ体重。喧嘩をしても互角だったし、相手への気遣いもいらなかった。

「類――」

怒鳴った類のほうが傷ついた顔をしていて、理人は情けない声を出した。すると再び類がキスをしてくる。啄《ついば》むように唇を食まれ、理人はカーッと身体が熱くなった。まずい、この状況はとてもまずい。類が理性を失いかけている。何とかして修復しなければ。

理人は自分の口を手でふさいだ。類が気づいて、熱っぽい息を吐いて額を押しつける。

「お……おやすみのキス、は、一回でいい……」

震える唇を動かして、かろうじてそう告げる。とたんに肩やうなじを摑んでいた類の腕から力が抜け、怒気が鎮まるのを感じた。まだ兄弟であることを辞める気はない。どうか引いてほしい。そんな理人の願いが通じたのか、類は髪を掻き乱し、理人に背中を向けて寝転がった。

「もう寝る……」

吐き捨てるように類が呟き、理人はホッとしてそろそろと横になった。ふとんをかけて、早鐘のように鳴り響く鼓動を必死に治めようとする。

『頭に血が上ってキスしちまった。兄貴は馬鹿か？　あれがおやすみのキスなわけ、ねーだろ。あーくそ、犯したい。兄貴の尻に、突っ込んで、ぐちゃぐちゃにしてやりたい。俺が誰を一番好きなのか分からせて、それで……、兄貴の代わりに女とヤってるんだって怒鳴りつけたい』

類の激しい衝動を抱えた妄想が、理人の息を荒らげる。そんな恐ろしい真似はしませんようにと、祈りながら身を縮める。

受験のせいか、類は最近キレやすくなっている。爆発しないよう、発言には注意しなければ。理人は大学を家から通えないくらい遠いところに行くつもりだ。あと数カ月の辛抱だと己に言い聞かせる。このままこの変な状況を続ければ、いずれ類は我慢の限界を迎える。

理人は家族であり双子の類を好いている。それは家族愛でしかないが、だからこそどんな類だろうと嫌いにはなれない。自分に邪《よこしま》な感情を抱いていようと、やはり弟は弟だ。できたら類には自分以外に目を向けてもらって、この呪縛から解き放たれてほしかった。兄弟で恋愛なんて不毛だ。距離が開けばきっと誰か別の人を愛することができるだろう。

（やっぱり別の大学に行くだけじゃ駄目かもしれない。類はちゃんとした相手を作らなきゃ。海とかどうかなぁ。海はいい子だし、類も嫌ってはいないみたいだ。俺が海に気がある振りをすれば、類も興味を引かれるかもしれない）
背中越しに類の体温を感じながら、理人は懸命にこの状況を好転する方法がないか模索した。
今夜もまた眠れない夜が続く。よくない傾向だと危惧しつつ、理人は寝ている振りを必死に続けた。

十月に入り、日々は忙しなく過ぎていった。理人の成績は受験する大学の合格圏内に入っている。受験ムードが高まってきて、同級生はぎすぎすしている。文化祭や体育祭は前半に終わらせてしまったので、学校行事もあまりない。唯一あるのは合唱コンクールくらいで、理人のクラスは関係ない。

週一で続けているバイトは、相変わらず忙しい。変わったことといえば、泣きながらステーキを食べていた若い女性がたまに来るようになった。理人の顔を覚えていたらしく、オーダーを取りに行くと「この前はすみません」と話しかけてきた。きちんと化粧をしていれば可愛らしい感じの女性だ。何度か来るうちに近くの会社で働いていると知った。一度会社の昼休憩に食べに来たことがあり、その時首からかけていたネームプレートで有沢《ありさわ》という名前を知った。

「小此木君、高校生なの？　ハーフだよね？　モテるでしょ。美少年って感じ」

何度目かの来訪で有沢から興味深げに聞かれ、理人は苦笑して手を振った。制服に名前のプレートが入っているので、有沢には小此木君と呼ばれている。

「俺みたいな子どもっぽいタイプはモテないですよ」

同じ顔で高身長のイケメンがいるとは言えず、理人は言葉を濁した。年上で、客だし、有沢は女性ながら気楽に話しやすい。学校だと女子と話している時は、類の目が気になって長話は避けるようにしているのだ。

「嘘だぁ。こんな子が入ってきたら、先輩女子が黙ってないでしょ」

有沢は理人が高校一年生だと思い込んで話している。今さら三年生とは言いだせず、理人は適当に話を合わせた。受験生がこの時期にバイトをしているとは思わないのだろう。

その日は店内が空いていて、ホール係は二人で十分足りた。二人連れが注文したステーキ二人前をトレイに載せ、理人は気をつけて運んだ。鉄板プレートは熱でじゅうじゅう音を立てていて、触ると火傷する。持ち手の部分だけは熱が伝わらないようになっていて、テーブルに置く際はそこを持つのだ。

何か騒がしい気配を感じたのは、通路を横切ろうとした時だ。窓際にいた有沢の前にくたびれたスーツ姿の男が立っていて、口論しているようだった。

「ちょっ、やばくね？」

「刃物、出した！」

近くの客が声を上げ、理人はびっくりして有沢とスーツ姿の男に駆け寄った。有沢は真っ青な顔で椅子からずり落ちそうになり、その前に立ちふさがった男が果物ナイフを手にして、「ふざけんな！　てめぇ！」と激高している。きゃーっと近くの女性が叫び声を上げ、逃げ出す。

「お客様！」

理人は大声を上げて男を止めようとした。こういう場合のマニュアルが一応あるのだが、その時は頭が真っ白になって何一つ思い出せなかった。代わりに、刃物を持った男を止めなければという一心で、鉄板プレートを摑んで男の後ろから肩の辺りに叩きつけた。

「熱っ‼」

刃物を持っていた男が悲鳴を上げて振り返る。鉄板プレートの熱で動揺したのか、中腰になっている。理人はすかさずもう一つの鉄板プレートを左手で持ち、男の顔に投げつけた。熱せられた鉄板プレートがもろに顔に当たって、男がびっくりして悲鳴を上げる。

「う、うう……っ」

男は真っ赤になった顔を押さえて、泡を喰ったように店内から逃げ出していった。理人ははぁはぁと息を喘《あえ》がせ、足を震わせた。足元に果物ナイフが落ちている。有沢が真っ白になった顔で、わーっと泣きだした。とたんに理人は訳の分からない汗がぶわっと飛び出て、床に尻もちをついた。

「店員さん、すごい！」

一部始終を見守っていた客が高らかに叫び、何故か拍手が起こった。理人は呆然としたまま立ち上がれず、店長や由紀が駆け寄ってくるまで頭が真っ白になっていた。

「小此木君、大丈夫⁉　ちょっと、警察呼んで！　怪我は⁉　お客様、大丈夫ですか⁉」

店長が真っ青になって、有沢と理人を確認する。由紀は警察を呼ぶと言ってスマホを取り出す。有沢は泣きながら理人のほうに近づき、何度も「小此木君、ありがとうっ、怖かったっ」と繰り返している。理人はようやく頭が回ってきて、床にぶちまけたステーキやフライドポテトの残骸《ざんがい》に目を向けた。

「あ、店長……すみません、無駄にしちゃって……」

理人が呆然としたまま言うと、店長がぎゅっとハグしてくる。

「そんなのいいよ！　よくやった！　男は逃げてったから！」

店長が興奮した様子でまくしたてる。とっさに鉄板プレートを投げつけたことが功を奏し、刃物を持った男は撃退できたようだ。

「いてえええ！」

少し気が落ち着いてくると、今度は両手に痛みが走って、理人は声を上げた。両手が真っ赤になっている。考えるより先に手が動いていて、鉄板プレートを素手で掴んでしまったのだ。持ち手を掴めばよかったのに、何故か真ん中を掴んでいた。あの時、理人は無意識のうちに二つ目の鉄板を左手で掴んでいた。それは要するに、右手が痛みを発していたからだ。

「火傷してんじゃない！　すぐ、水につけないと！」

理人の両手が火傷しているのに気づいた店長が、すごい勢いで理人を厨房に連れ込んだ。シンクに引っ張り込まれ、蛇口の水を両手にかけられる。じんじんした痛みが押し寄せてくる。手のひらや指が赤く腫れ上がって痛々しい。

「何があったんだよ⁉」

「小此木がヒーローになった！」

「刃物持った男が客に――」

厨房も大混乱で、しばらく店内は騒がしかった。店長が場の収拾に努め、汚れた床の掃除や客への対応に当たっている。十分もすると警察がやってきて、状況説明を始める。理人はずっと両手を水で冷やしていたので、厨房まで来た警察官にいろいろ質問された。

「小此木君、今日はもう店は閉めるから、一緒に病院行きましょう」

店長は警察への対応をすませると、神妙な顔つきで理人に言った。三十分くらい冷やしていたおかげで少し痛みは引いたが、理人は素直に店長と近くの病院へ行って手当てを受けた。駅から徒歩十分の距離にある総合病院だ。

「二週間くらいで綺麗になるから大丈夫ですよ」

看護師からは笑顔でそう言われたが、両手に包帯をぐるぐる巻きにされ、何だかすごい怪我人のようだ。

「小此木君、家に電話しておいたから。すぐ来るって」

治療代は店長が払ってくれたので安心していると、待合室で恐ろしい発言をされた。

「え、来るって誰が?」

両親ならいいが、類が来たら恐ろしいことになりそうで、緊張が走った。こんな大怪我みたいな姿を見られたら、とてもまずい。どうか母だけが来ますようにと祈っていると、病院の待合室に血相を変えて類が現れた。その後ろに母も来ている。

「兄貴!」

待合室のソファで縮こまっている理人を見つけ、類が駆け寄ってくる。店長は何度か店に来た類を見ているので、ソファから腰を浮かした。

「兄貴、大丈夫なのか!?　この怪我――」

物騒なオーラを背負った類が、ソファに座っている理人の前に、膝を折る。遅れて母が登場し、店長と頭を下げ合う。周囲の人が目立つ外国人の家族に視線を注ぐ。理人は注目を浴びているのを自覚し、内心冷や汗を流した。

『兄貴の馬鹿！　何で危ないことするんだよ！　もし兄貴に万が一のことがあったら――』

類の激しい叫び声がガツンと伝わってきて、眩暈《めまい》がした。類は犯人に対する罵倒や、巻き込まれた苛立ち、電話がかかってきた時は肝が冷えたという内容を、乱れた声でわめきたててくる。類の心の声は大きくて、理人はそれだけ心配させたのだと反省した。

「先ほどもお電話でお話ししましたが、店に果物ナイフを振りかざした男が入り込んで、小此木君が撃退してくれたのです。両手の火傷は、鉄板プレートを摑んだためにできたもので、犯人から負わされた怪我ではありませんので」

店長が事細かに母に説明する。母はむしろ息子の武勇伝を聞き、嬉しそうな顔だが、類は理人の怪我に今にも倒れそうなほどショックを受けている。

「ちょっとした火傷だから、心配しないでいいよ。中のパッドを固定するために包帯してるだけで、すぐ治るって先生も言ってたし」

理人が安心させるように類に言うと、唇を噛んで理人の腕を撫でる。

「二、三日は両手が使えなくて、困るかなぁ」

類の暗い表情を和らげようと、理人は明るく笑って言った。

「未だにバイト続けてたから、こんなことになったんだろ。もう辞めろよ、バイト」

理人の笑顔は類の心を一ミリも和らげなかったらしく、眇めた眼差しで言い渡された。理人が顔を引き攣らせると、すっくと立ち上がり、店長に向かい合う。

「今日限りでバイトは辞めさせますんで。いいですよね？」

百八十センチあるハーフの男に見下ろされ、店長もさすがにもう少しとは言いだせなかったのだろう。

「は、はい……そうですね……」

いつも押しの強い店長が珍しく、弱々しい声を出している。フォローするように母が店長に笑いかけ、理人のバッグを受け取る。

「じゃあ、もう帰りましょうか」

母に促され、店長に挨拶をしながら理人は病院の駐車場に向かった。類はずっと不機嫌で、理人の横を歩きつつ、ちらちら理人の包帯した手を見ている。

「ルイは心配性ね。女の子を救ったリヒトを少しは褒めればいいのに」

車の運転席に乗り込んだ母が笑って言う。うんうんと理人が後部席に乗り込んで頷く。シートベルトを締めようとして、怪我した手でもたついていると、後から乗り込んできた類が代わりにシートベルトを締めてくれた。屈み込んできたせいか、類の体温を感じる。

「ママは気楽すぎ。もし兄貴に何かあったらどうすんだよ？　大体刃物を持った男が入ってきた時点で、警察に電話して安全な場所に身を置くべきだ」

至極もっともな意見を類は述べている。本当に何故あの時助けに入ったか理人にも分からない。どちらかというと気弱な自分は、ああいった時に震えているのが関の山なのに。多分、見知った客がピンチに見えて、思わず飛び出してしまったのだろう。

「そうねぇ。でも今回は上手くいったからよかったじゃない？　今夜はリヒトの好きなお寿司でもとる？　パパにもリヒトの武勇伝を教えなきゃ」

ゆっくりと車を発進させつつ、母が言う。類の不機嫌と母の上機嫌に挟まれ、理人は両手の疼きに顔を顰めた。

家に戻ってすぐに、両手が使えないというのはとても大変なことだと気づいた。服は脱げないし、勉強もやりづらいし、水を飲むのも不便極まりない。そもそも重度の火傷ではないので手を使ってもいいのだが、類がつきっきりになって世話を焼くので、理人はまるで赤ちゃんみたいに何もさせてもらえなかった。

「リヒト、あーん」

母はこの状況をすっかり楽しんで、夕食の寿司を理人に食べさせようとする。すかさず類も理人の好物を箸で摘まみ、口元に持ってくる。

「二人とも、面白がってない？」

ネギトロ巻きを咀嚼しながら、理人は仏頂面になった。さすが類は理人の好きな寿司ネタを熟知していて、食べたいものばかり口に運んでくる。

「リヒトってばひな鳥みたいね、ルイ」

母はおかしそうに笑っている。テーブルには寿司だけではなく、理人の好きな茶碗蒸しと近所の有名なケーキも並んでいる。まるで誕生日だ。母と類に餌付けされていると、父が会社から帰宅した。

「理人、怪我は大丈夫か？」

父が心配した様子で、リビングに駆け込んでくる。母が得意げに一部始終を語り、理人もどうやって犯人を撃退したか身振り手振りで伝えた。類は面白くなさそうな顔をして聞いていた。もし心の声が聞こえなかったら、理人に注目が集まって拗ねているように見えただろう。実際は危険な真似をした理人を案じているだけなのに。

「そういえばお風呂はどうする？　手を濡らしちゃ駄目よね？　ルイに手伝ってもらえば？」

夕食の団欒《だんらん》中に、母が何気ない様子で言った。

（え、風呂――）

理人は固まって、とっさに無言になってしまった。思わず類を振り返ると、類も固まっている。

「……別にいいけど」

類がわざと素っ気ない声を出して言う。

（いやいやいや、まずいだろ！）

かすかに顔を引き攣らせ、理人は乾いた笑いを浮かべた。

「や、一日くらい入らなくても、どってことないから……っ、類にも悪いしさぁ」

自分を犯したいと言っている弟と風呂に入るなんて、どんな拷問だ。ここは回避せねばと理人は笑ってやり過ごそうとした。

「何言ってるの。ちゃんと湯船に浸かりなさい。兄弟なんだから、別にいいでしょ」

母には風呂に入らないという選択肢がないようで、呆れた口調で言われた。兄弟だからまずいんじゃないかと言い返したかったが、理人はぐっと言葉を呑み込んだ。風呂に一緒に入るということは、全裸を見られるわけで……。理人は身震いした。

「そ、それは、そのう……」

理人が赤くなってもじもじすると、類がすっと立ち上がる。

「じゃ、俺が風呂掃除してくる」

類は返事を待たずにリビングを出ていく。

「ルイが進んでお手伝いするなんて。きっとリヒトを心配しているのね」

「いい弟をもったな、理人」

母と父は類の態度を褒め称える。和やかなムードになっているが、こっちは汗だらだらだ。類と一緒に風呂へ入るなんて、絶対にまずい。いろんな意味で、困る。そう思ったが、拒否するいい言い訳が思いつかず、理人は焦った。いきなり腹痛でも起こしてみようかと思ったが、さすがに仮病はばれるだろう。あれこれ考えているうちに風呂掃除を終えた類が戻ってきて、理人のためにケーキを皿に載せる。理人の好きなショートケーキを当たり前のように、フォークでとり分ける。

『一緒に風呂か……気をつけないとな』

無言でフォークを差し出され、理人は窺うようにケーキを頬張った。てっきり類は喜ぶかと思ったのに、意外にも一緒に風呂に入るのは向こうもまずいようだ。これなら貞操の危機はないかも、と理人は少しだけ安心した。

「今日はいろいろあったから、早くお風呂に入って寝なさい」

ケーキを食べ終えてソファでまったりしていると、風呂が沸いた合図の電子音がして、母が急き立てるように言った。類はてきぱきと替えの下着やパジャマを浴室に運んでいる。

「兄貴、こっち」

類に声をかけられ、理人はしぶしぶ重い腰を上げた。犯人と対峙するより、こっちのほうが緊張する。何事もありませんようにと、浴室に向かった。

脱衣所で二人きりになると、よりいっそう鼓動が速まる。

「お、お手柔らかに……」

類に腕を引き寄せられ、向かい合って見つめられて、ついそんな言葉が口に出た。類がぷっと吹き出し、口元を手で押さえる。妙にドキドキが治まらず、理人はうつむいて上着をどうにか脱いだ。ネクタイを外そうとすると類の手が伸びてきて、丁寧な手つきで解かれた。類の手がシャツのボタンを一つずつ外していく。

（うー。この間が耐えられない）

こういう時に限って類の声が聞こえず、理人はそっぽを向いた。シャツを脱がされ、インナーだけになると、少し肌寒さを感じる。類の手がインナーに伸びて、まくり上げられる。

「万歳して」

類に促され、素直に両手を上げる。上半身裸になったとたん、類の視線を強く感じる。

『うっわ、乳首ピンク』

ぽろっと類の声が聞こえて、理人は耳まで赤くなった。類は籠の中に衣服を放ると、理人のベルトを無造作に抜く。

（ううー。このシチュ、やばい）

類の手でズボンを下ろされ、ぎこちない足取りで足を引き抜いた。

「お、俺、後ろ向いていい？」

類と向かい合って脱がされるのに耐えられず、理人は背中を向けた。下着一枚で類の前に立つのは久しぶりだ。ふと前を見ると、洗面所の大きな鏡に自分と類が映っている。類の背丈が大きくて、まるで大人と子どもだ。類の手が下着にかかって、理人はびくっとした。

「お、お前も脱げよ！」

下着を取り払われる前にと、理人が大声を出すと、ハッとしたように類が手を引っ込めた。

「あ、ああ……。そうだな、ちょっと待って」

類は理人の背中を見つめながら、大きく息を吐く。ネクタイを外した類は、わずかに考え込み、腕まくりをした。

「よく考えたら、一緒に入ると狭くないか？　兄貴の身体、洗ったら、俺は出ていくから」

理人とは目を合わさず、類がそう提案する。一緒に入らないのかと拍子抜けし、理人は背後の類を振り返った。

「濡れてもいい格好になってくるから、待ってて。怪我した手も濡れないようにビニール袋持ってくる」

類はそう言いつつ、脱衣所を出ていく。

『一緒に入ったら、絶対勃《た》つ』

出ていく間際にそんな声がして、理人はカッと赤くなった。それは理人もどうしていいか分からないので、一緒に入るのをやめてくれて助かった。

五分もすると、類は半袖短パンの格好で戻ってきて、理人の両手に濡れないようビニール袋を被せた。あとは下着を脱ぐだけという段階になり、理人は情けない顔で頭を下げた。

「あ、あのさ。下にタオル巻きたいんだけど……」

類の前で全裸になるのはどうしても嫌で、理人は小声で訴えた。類は分かったと言って、下腹部にタオルを巻いてくれる。下半身を隠した状態で下着を引き抜かれ、理人はホッと胸を撫で下ろした。

(類には見られたくない……だって俺、小さいんだもん)

兄として情けない裸を弟に見せるわけにはいかない。セフレがいるような類には縁遠い悩みだろうが、理人は未だに少年のままの身体つきだ。身長が伸びないように、性器も幼く、毛も薄い。まさか他人に身体を洗われる日がこんなに早く来るとは思わなかったのだ。

「頭から洗う?」

タオルで下腹部を隠しつつ浴室に入り、理人は類に任せると言った。風呂用の椅子に座り、頭を下げた状態で髪を洗ってもらう。類がシャワーを頭にかけ、丁寧な手つきで髪を洗っていく。

「気持ちいい……」

最初はびくついていた理人だが、他人に髪を洗ってもらうのは案外気持ちよく、緊張していた身体もほぐれてきた。類の長い指が頭皮を擦って、泡立てていく。

「他人の髪を洗うなんて、初めてだな。けっこう悪くない」

類の声が後頭部からして、温かいシャワーが降り注いでくる。トリートメントまでしてもらい、面映い気持ちで髪を洗い終えた。

「身体も洗うね」

次に風呂用の椅子に座らされ、類が背後に膝をついた。ボディソープを手に取る類を見て、理人はぎょっとした。

「え、手……でやるの？」

泡立てた手のひらが背中を滑り、理人はつい前のめりになった。ボディタオルでごしごしやってくれるなら気が紛れると思ったのに、あろうことか類は手で背中を撫でるように洗っている。

「当たり前だろ。肌への刺激は極力少なくしろって社長が言ってた」

首筋や背中の肩甲骨をゆっくり撫でながら、類が言う。モデル業をやっているだけあって、スキンケアに対する意識が理人とは違う。

(うーわー。これって、すっごい恥ずかしいんだけど)

類の大きな手が脇腹や腰を優しく擦っていく。

『細ぇな……。後ろから見ると中学生の身体、だよな……。背中、綺麗』

丁寧に背中を洗われて、類の感想まで聞こえてくる。理人はやや前屈みで早く終わりますようにと念じた。類は肩から腕、二の腕や肘、手首まで、まるで大切なものを扱うように泡立てていく。ふだん適当に洗っている理人としては、こそばゆい思いでいっぱいだ。

「ひえっ」

後ろから回ってきた手が胸元を撫でてきて、理人はつい変な声を上げてしまった。

「あ、ごめん」

怯んだように類が手を引っ込める。過剰反応した理人は赤くなり、首を振った。

「や、こっちこそごめん。何でもないから」

「……こっち向いてくれる？」

背中越しに類に言われ、理人はぎくしゃくと向きを変えた。湯気の中で類の頬が上気しているの

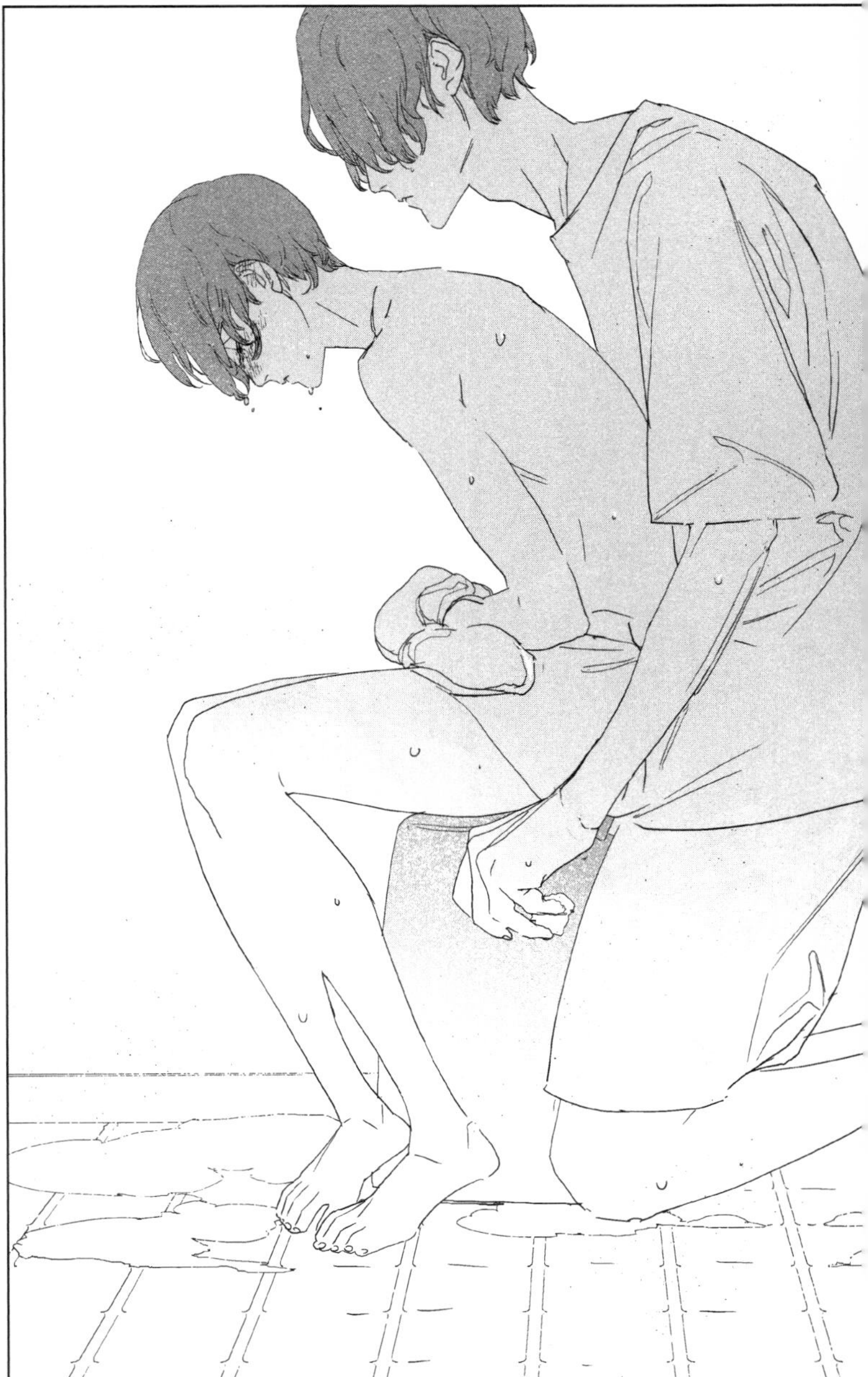

は気のせいではない。居たたまれなくなって、理人はうつむいた。向き合った形で首から鎖骨、上半身を洗われる。

（何これ。緊張からか鼓動が……）

類の手が身体を撫でると、すごい速さで心臓が鳴る。こんなふうに誰かの手で身体中撫でられるなんて、変な感覚だ。

「立って」

類にかすれた声で言われ、理人は類の肩を借りながら立ち上った。類はボディソープを足して、足先から徐々に上へと手を這《は》わせる。太ももの辺りを揉まれて、理人は危うく声を上げそうになってしまった。何か気を紛らわすためにもしゃべろうと思うのだが、類が怖いくらい真剣に洗っているので、何も言葉が浮かばない。

（え、ちょっとやばい、かも……。勃っちゃったり、して……）

脚のつけ根まで手を這わされて、理人は息を喘がせて動揺した。類の撫で方がいやらしく思えて、体温が上がってきた。

「ちょっと、俺に寄りかかって。足、上げるよ」

類に囁かれ、理人はぎこちない動きで類にもたれかかった。類は理人の足を持ち上げ、指の股まで揉むようにして洗う。

（素数数えよう……）

この妙な空気を追い払うためにも、理人は素数を数え始めた。すると、ほうっという吐息と共に、『2、3、5、7……』と類の頭の中の声がする。思わず吹き出しそうになってしまった。さすが双子、こういう時に気を紛らわせる方法が同じだ。

『11、13、17……兄貴の肌、すべすべだな……19、23、29……ずっと触ってたい』

素数に紛れて類の邪な声もする。

「も、もういいよ」

これ以上太ももの辺りを揉まれていると変な気分になりそうで、理人は乞うように言った。類の手が身体から離れてホッとしたのも束の間、再びボディソープを足して、タオルの裾から手を突っ込んで尻に触れる。

「ぎゃっ！」

びっくりして理人が声を上げると、膝をついていた類が尻たぶを撫でる。

「そ、そこはいいって！」

慌てて類から離れようとしたが、がしっと尻を掴まれ、身動きがとれなくなる。類は立っている理人を見上げ、真剣な眼差しでぬめった手のひらを動かす。

「駄目だよ、ここも綺麗にしないと」

やや強引に尻を撫でながら、尻のはざまに指を滑らせる。他人の指でそんな場所を撫でられるのは初めてで、理人は耳まで真っ赤になって腰を引いた。この先はまずい、と焦った瞬間、類の手が前に回り、性器を握る。

『あー。兄貴、小さいの見られるの嫌だったのかな。子どもみたい』

類の声が胸に刺さり、理人は脚を震わせた。タオルで隠しているが、触れた感覚で察したのだろう。

「悪かったな！　子どもみたいで！」

カーッとなって、理人は気づいたら叫んでいた。類が固まり、理人は我に返った。まずい。反射的に怒鳴ってしまった。羞恥心で、頭が回っていなかった。

『え、俺、今口に出してた……？』

案の定、類の表情が困惑している。理人は混乱して口をぱくぱくしながら、どうやってごまかそうと必死に考えた。

「そ、そう……思ってるん、だろ……？」

苦し紛れにそう呟くと、少し納得したのか、類が瞬きする。

『びっくりした。俺の心の声が聞こえたのかと思った。いや、まさかね』

類は何事もなかったような顔つきに戻り、理人の性器や袋を丹念に洗う。感じないようにするのと、類に心の声が聞こえているのがばれなかったのかと不安で、理人は身体を硬くした。理人が黙っていたせいか、類はタオルで隠れている部分を手で撫で回す。

『尻、ちっちぇな……。男なのに、何でこんな柔らかいんだろ。あーすげぇ興奮してきた。勃ってんのばれないようにしないと。だぼだぼのTシャツ着てきてよかった』

尻を揉まれている間、不埒な思いを聞かされ、理人は目を潤ませた。何故か分からないが涙が出そうだ。早くこの時間が過ぎ去ればいい。

『こんなに触っても反応しねーのか……』

落胆ともとれる呟きが聞こえ、ようやく類の手が離れた。ホッとして肩から力を抜く。類は桶で湯を掬い、理人の身体についた泡を流していく。

「はい、終わり。出た後、声かけて」

類は素っ気ない口調で理人へ肩を貸し、湯船に入れてくれる。そのまま浴室を出ていったので、理人はどっと疲れを感じて浴槽にもたれかかった。

（あー、あー。マジで緊張した……っ。他人に身体触られるってこえーじゃん！）

全身を類の手で確かめられたかと思うと、顔から火が出る。しかも、安堵したせいか、身体を洗われているのを思い出して、半勃ちしてしまった。

（嘘だろ……。つうか、あいつがいる時、勃たなくてよかったぁああ……っ）

腕を浴槽の外に置き、しばらく心を鎮める。幸い、素数を数えだしたら興奮は治まった。

（俺も、もっと突っ込めばよかったかな？　類の声が聞こえちゃうから、ふつうの反応がよく分からなくなってる。どう考えても、身体の洗い方、やらしかったよな……？　何とも思ってない奴の身体を手で洗ったりしねーよな……？）

悶々と考え込んでいるうちに少し逆上せてしまい、おぼつかない足取りで風呂から出た。脱衣所に入ると、両手が不便な中、タオルで身体を拭き、下着を穿く。下着一枚ですごい疲れて、あとは類に頼もうと類の名前を呼んだ。

「ボタンのないパジャマ、持ってきた」

類は何食わぬ顔で戻ってきて、理人にパジャマを着せる。明日は自分でどうにかしよう。そう思いつつ、理人は類に礼を言った。

火傷は五日もすると水膨れも腫れもずいぶん引き、日常生活は楽になった。

金曜日の学校帰りに理人はバイト先のステーキハウスに向かった。辞めることにしたものの、未払いのバイト料や置いてある荷物を引き取るためだ。クリーニングした制服も返却しなければならない。理人一人で行くとまたほだされるかもしれないと言って、類がついてきた。

繁華街を通り抜けて、ステーキハウスの看板が目に入ると、理人はすっと血の気が引いて立ち止まった。

「兄貴?」

制服姿の類が、いぶかしげに振り返る。理人も何故自分が立ち止まったかよく分からなくて、慌てて足を動かそうとした。だが――身体も心も重くて、一歩が出ない。ステーキハウスに、行きたくない――。

「兄貴、トラウマになってるじゃないか」

すぐに理人の異常を察した類が、理人の手を取り、路地裏に引っ張る。理人は青ざめた表情で類を見上げ、自分の心に戸惑った。

「トラウマ……?」

「平気そうにしてたけど、刃物持った男とやり合ったんだろ。あそこが怖くなって当たり前」

そう言うなり、類が理人の身体を抱きしめてきた。最初はまごついたが、しだいに心がほぐれていき、類の胸に抱きついた。ぎゅっとされると、あれほど重かった身体が軽くなる。

「そっか、俺、びびってたのか。情けない」

理人は重いため息をこぼして、類の胸に頭を押しつけた。

『俺が絶対守るから』

ふっと類の声が聞こえて、胸が熱くなった。類のこういうところが好きだ。弟でありながら、類は理人にとって頼れる身内だ。

「俺が代わりに行ってこようか？　兄貴じゃなきゃ駄目ってわけじゃないんだろ」

耳元で聞かれ、理人は一瞬そうしようかと心がぐらついた。だが、ここで逃げていたら、一生あの店に行けない気がする。

「いや、お前と一緒なら大丈夫……と、思う」

「そっか……。分かった、俺がいるから、絶対大丈夫。兄貴を危険な目には遭わせない」

理人の背中を撫でて、類が囁く。類は他人には冷たくても、愛情深い弟だ。

「うん、ありがとう。お前がついてきてくれてよかったよ。一人だったら、マジやばかった」

苦笑しながら類の身体から離れる。類の目が残念そうに揺れたが、肩に手を回され、ステーキハウスに向かった。類のおかげで、重苦しい気分を抱えながらも、どうにか店に入れた。

「お、理人。イケメンの弟も一緒じゃん」

バックヤードに顔を出すと、シフトで入っていた由紀に声をかけられた。類は時々理人目当てでステーキを食べに来ていたから、由紀も顔馴染みだ。他の従業員も集まってきて、理人をねぎらう。あの後、現場検証などあって店は休店を余儀なくされたそうだ。

「そういや犯人、捕まったみたいだよ」

由紀に教えられ、理人の顔がパッと明るくなった。

「ホントですか⁉　よかったたぁ……」

怖かった理由は、またあの男が店に押しかけるのではないかという不安があったせいだ。捕まったのなら、安心だ。嬉しくなって類を振り返ると、よかったなと微笑まれた。

「小此木君、来てくれてありがとう」

バックヤードでわいわいしていたせいか、奥から店長が出てきて、未払いの給料を手渡された。

「あとこれ、あの被害者の女性から小此木君にって」

店長が取り出したのは紙袋に入った有名店の菓子折りだ。お詫びという意味だろう。

「何でもあの時の男って、彼女の元恋人で、別れを切り出したらストーカーになったんだって。今までもいろいろあったみたいだけど。殺すつもりはなくて、脅して連れていこうとしたって話」

店長から犯人と有沢の関係を知らされて、理人は沈痛な面持ちになった。ステーキを食べながら泣いていたし、きっといろいろあったのだろう。ストーカー男が捕まったのなら、彼女も少しは安心できるに違いない。

「小此木君にすごい感謝してたわ。私のヒーローですって」

店長がそう言って微笑むと、他の従業員も理人の背中を叩いて、はやしたてた。ヒーローなら店に入る前に怖くなったりしないと思うが。褒められるのは満更でもなかったので、笑っておいた。

店長が理人は今日付けで辞めるという話をすると、皆からねぎらいの言葉をもらった。大学生になったらまたバイトに来てくれと、料理長から真剣に頼まれた。由紀は残念そうに理人をハグして、子ども相手みたいに頭をぐしゃぐしゃとする。世話になった人たちに礼を言い、理人は類と一緒に店を出た。ロッカーに置いていた私物はそれほど多くなく、紙袋一つでまとまって、類が代わりに持ってくれる。

『あの大学生の女、兄貴に抱きつきすぎ。あのシェフもべたべた触りやがって』

類は理人が仕事仲間から親しげにされたのが気に食わない様子だ。帰り道、延々と仕事仲間への文句を考えていたので、辟易した。類は独占欲が強い。理人の周囲の人に対して、寛容な心は持ち合わせていない。火傷してから学校への行き帰りや、手を使う作業に、自分以外の人の手をわずらわせると不機嫌になる。

『あーあ。兄貴の手が治ってきちゃって、つまんねーな』

電車に揺られながら類がそんなことを考え、理人は思わずぷっと笑いだしてしまった。理人の怪我を心配する人こそあれ、こんなふうに治るのを嫌がる人は初めてだったのだ。すると類は困惑した瞳で理人を見つめた。

「あ、ごめん。思い出し笑い……」

慌ててごまかし、類の肩にもたれかかる。

『俺の心の声が聞こえたのかと思った』

類は電車の揺れる窓から外を見ている。

『っつーか、時々まるで心の声が聞こえているみたいな時があるんだよなぁ……。いくら双子だからって、そんな特殊な能力あるわけないけど』

類の声にどきりとして、理人は床に視線を落とした。類が疑惑を抱いている。時々うっかりした発言を理人がするから、気になり始めたのだろう。

『まぁ、もしホントにエスパーみたいな力があるんだったら、これだって聞かれてるんだろうけど。俺が兄貴好きなのばれてるってことだよな。さすがにそれはねーか……』

自問自答している類の声に、緊張が走る。

もし、類に心の声が聞こえていると知られたら、どうなるのだろう。類は今のところ、自分の気持ちを理人に打ち明けるつもりはない。聞かれたくない想いを知られたら、きっと激怒するだろう。理人に対して嫌悪するかもしれない。あれこれ予想はするけれど、どれも修羅場だし、家族の仲にヒビが入るから起こってほしくない。

「——そうだ、類。俺、明日学校休むから。検査の日なんだ」

理人は悶々と考え込む類に切り出した。ふっと類の身体が硬くなり、不安そうな目を見せる。

「高校入ってから、健康そのものだし、もう検査いらないと思うんだけどなー」

理人はわざと明るく言って、電車の揺れに踏ん張った。類の手が背中に回り、理人の身体を固定する。ほどなく電車の扉が開き、理人は類とホームに降り立った。

病院や検査の話をすると、決まって類は暗くなる。口には出さないまでも、理人のことが心配なのだろう。だから理人は類が笑顔になるように、くだらない冗談や、笑い話を口にする。

検査のために、明日は都内の大学病院に行かなければならない。

カラ元気を見せつつ、理人は憂鬱な思いに苛まれた。

■3　崩壊

　大学病院で採血されたり、ＭＲＩを取られたりして、検査は半日ほどかかった。検査着で廊下のソファに座っていると、見覚えのある女性が近づいてきた。長い髪を背中まで伸ばした少女だ。背は低く、全体的にほっそりして儚《はかな》い印象を抱く。理人と同じように検査着で、手にはカルテを持っている。

「理人。久しぶり」

　理人に気づいてぎこちなく笑うのは、和家佐真矢《わかさまや》だ。理人より一つ年下の十七歳の女子高校生だ。

「真矢も来てたんだ。検査、めんどいな。最後に発症したの、いつ？」

　理人は隣に座った真矢に小声で聞いた。

　真矢は理人と同じ病気を患っている。黒夢病《くろゆめびよう》——巷ではそんな名前で呼ばれている。十万人に一人の確率で起こる現代の奇病で、発症すると深い眠りにつき、一週間から数年と人によって差はあるが、その間、何をしても目覚めない。

　理人は小学生の時、三度、中学生の時、一度、この病気を発症した。一度発症すると、何度も繰り返されるのが黒夢病の特徴だ。理人はこの年齢にしては人よりその回数が多く、おかげで成長速度が類とは差がついてしまった。理人が十八歳なのに中学生くらいに見えるのはそのせいだ。同じように真矢もこの歳にしてはかなり幼く見える。

寝ている間は呼吸も脈拍もかなりゆっくりで、長く起きない人の中には衰弱死していく者もいる。原因は未だ不明、対症療法もない状態だ。この病気のせいで理人は三カ月に一度は検査を余儀なくされている。高校生になってからは一度も発症していないのに。

「中学三年生の時が最後かな。もう治ったって思いたいね。また置いてかれるのは嫌だよ。友達とも話、合わなくなるしさ」

真矢はうんざりした口調で背伸びする。理人も中学三年生になる春に起きて以来、発症していない。

「身長も伸び悩んでるしなー。この三年でやっとここまで伸びたけど、双子の類を見ると、本当はあそこまで伸びる予定だったのになって悔しいよ。まぁこれから同じように伸びると信じたいけど」

理人はにやりと笑って言った。他の人には言えない話も、同じ病気を抱えている真矢の前なら口にできる。真矢はそういう意味で戦友みたいなものだ。

「甘いね、理人は。寝ている間はカウントされてないと思ってるみたいだけど、関係ないって話。アタシたち、この辺で終わりなのよ。アタシなんかいろいろ発育不良で、最悪だよ。こんな胸小さくて、死ぬしかないわ」

「マジで？　いや、俺は信じない。俺はもっと大きくなる。真矢は胸が平らでも、顔可愛いからいいじゃん」

「誰が平らって言った？　そこまでは言ってない！」

真矢に頭を叩かれて、理人は笑いながら頭を庇《かば》った。

この病気のつらさは、浦島太郎《うらしまたろう》みたいに周囲がいつの間にか変わっているのを突きつけられることだ。勉強もついていけなくなるし、友達もいなくなる。おまけに発症している間は成長が止まり、身体も弱っていく。一週間程度なら回復も問題ないが、ひと月、一年と入院していると、元の生活に戻るのは非常に困難だ。

この病気のせいで、類には迷惑をかけている。類が一緒にいなければ、きっともっと学校生活は悲惨だっただろう。

「和家佐さーん、お入りください」

診察室の扉が開いて、真矢が呼ばれる。軽く手を振り合って、理人は一人その場に残った。

検査の結果が記されているカルテを見ると、数値はどれも正常だ。血液検査の結果はまだ分からないが、多分問題ないだろう。

——類が、理人に対して異常な執着を見せるのは、この病気が原因だ。

類は理人がある日突然動かなくなるのではないかと危惧している。その思いがこじれて、異性に感じるような愛情へ変化してしまったのだと思う。同じ遺伝子を持っているはずの類には病気が発症せず、自分にだけ起きてしまったのは不思議だが、二人して倒れる羽目にならなくてよかったと理人は思っている。そもそも病気自体は痛みもなく、起きた時には長く寝ていたなという感覚くらいしかない。SFっぽくコールドスリープ病などと言う者もいるくらいだ。理人は中学一年生の時に、一年間、病気で意識を取り戻せなかったことがある。その時が一番長い眠りで、目覚めたら類はすごい速度で成長していて、別人みたいだった。もう二度とあんなふうにならないよう、日々の生活に気をつけて健康的に過ごしているが、病気の原因は未だ分からないので、自分がしていることが合っているかどうかも不明のままだ。

「小此木さん、お入りください」

隣の診察室の扉が開いて、看護師が声をかける。理人は腰を上げて、病院用スリッパを鳴らしながら診察室に入った。白衣を着た医師がパソコン画面の前に座り、その横に年配の看護師が立っている。佐久間《さくま》というネームプレートを付けた医師が、カルテの数値を確認し、理人のリンパ腺や鼓動、瞳孔を確認する。佐久間は理人が小さい頃から診てくれている医師で、銀縁メガネに長身で猫背の男だ。

「理人君は受験生か。どこ受験するの？」

診察しながら佐久間が興味深げに聞く。理人が大学名を挙げると、すごいねーと微笑む。今日は検査のついでに理人だけが進もうと思っている大学の願書も提出してくる予定だ。

「うん、問題ないね。次は半年後でいいよ」

佐久間に明るい口調で言われ、理人は笑顔になった。

「ホントですか！」

検査のために大学病院に来るのは憂鬱だったのだ。期間が延びたのなら有り難い。

「そういえば学会でこの病気に関する論文が発表されてね。もしかしたら薬らしきものができるかもしれない」

佐久間がカルテを閉じて言う。何という朗報だろうと理人は顔を輝かせた。佐久間はすぐにはできないと言うが、それでも停滞しているように思える日常の中で希望が持てる。

診察を終えて、理人は大学病院を後にした。

大学病院の近くには大きな神社があり、気が向いてお参りした。

(類に御守り買っていこう)

合格祈願の御守りを二つ買い、理人はこころもち微笑んだ。心なしか、世界が明るく見える。早くこの病気から逃れたいものだと思いながら、理人は帰路についた。

その夜は蛇《へび》に巻かれる夢を見た。白い蛇だったら吉兆らしいが、あいにくアナコンダだった。うんうん唸りながら寝ていたようで、時々背中を叩かれて悪夢から逃れた。

朝だよ、起きてという類の声がする。朝は弱い理人は、くぐもった声で分かったと言った。蛇の夢のせいかなかなか覚醒できず、目が開かなかった。うっかりまた寝かけた時、類の声がした。

『この御守り、兄貴が買ってきてくれたのか?』

昨日理人は寝る前に類への御守りを机の上に置いておいた。

「うんそう……。神社で……買ってきた」

理人は毛布を頭から被ったまま、寝ぼけた声で答えた。

『え? どういうこと?』

類の驚いた声がする。理人はうとうとしたまま、どういうこととはどういう意味だとぼんやり考えた。

「どういうことって、合格祈願に……」

眠い頭で答えた瞬間、空気がびりっと硬くなったのが分かった。その時、理人は気づいた。今、寝ぼけて類と会話していたが――。

「類？」

一気に眠りから覚めて、理人は目を開けて振り返った。ベッドの脇に、凍りついた表情の類が立っていた。その目が、ありえないという目つきで理人を見下ろしている。

「今、俺、何もしゃべっていない」

御守りを握ったまま、類が強張った顔で言う。理人はサッと青ざめ、上半身を起こした。寝ぼけていて、脳内に聞こえた声と会話してしまった。

「そ、そうだったか？　何か声が聞こえたような気がして」

慌てて取り繕うが、類の驚愕は消えない。類はわずかに後ろに下がり、理人を凝視している。寝室に理人を起こしに来たのだろう。すでに類は制服に着替えている。

「俺の心の声が、聞こえたのか？　俺が、何考えてるか、分かるの？」

動揺したように類が詰問する。理人はごまかさなければと必死に頭を巡らせた。上手い言い訳は思いつかなかった。青ざめて、枕を抱える。

「え、っと、いや、何でだろ……。偶然じゃないか」

類の驚愕している姿におののき、理人は声を震わせた。

『俺が兄貴に惚れてるのも、知ってたの？』

視線が合ったとたん、強い感情が理人にぶつけられた。理人は思わずびくりとして、固まってしまった。類はそれで何かを悟ったように、顔に朱を走らせた。

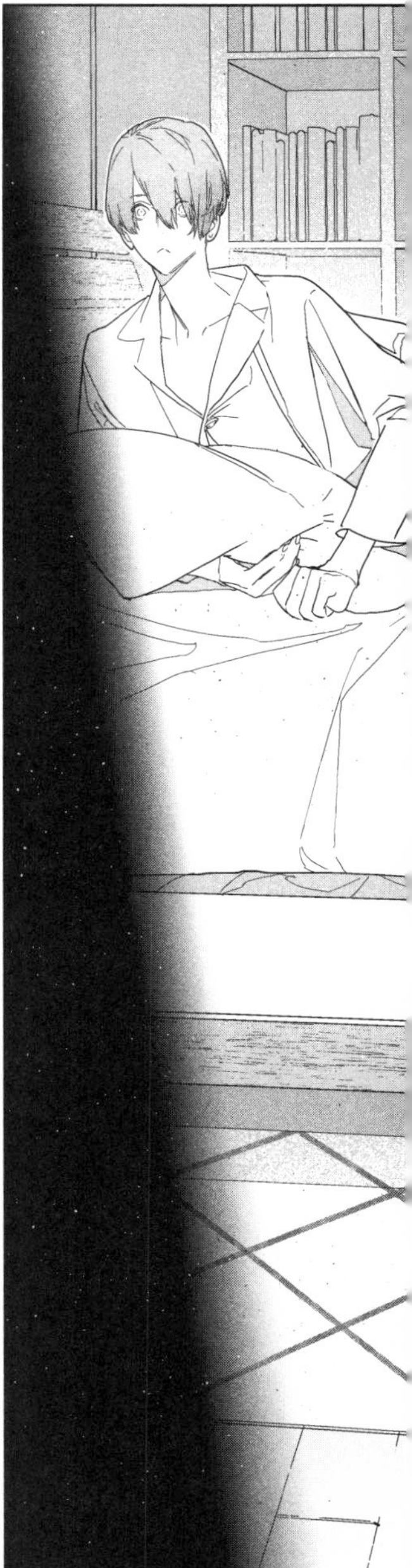

「信じ……らんねー……」

喘ぐような息遣いで類がくるりと背中を向けると、そのまま荒々しい足取りで去っていった。理人は慌ててベッドから飛び起き、真っ青になって廊下に出た。類はとっくに階段を下り、母に何か怒鳴っている。理人は追いかけなければと思いつつ、階段の手前で足がすくみ、寝室に戻った。そのまま廊下と寝室を行ったり来たりして、頭を抱えた。何てことだ。類に秘密がばれた。

（ごまかせないか？　もう駄目か？　類は勘がいい。今ので確信してしまった）

髪をぐしゃぐしゃと掻き乱し、理人はベッドに力なく腰を下ろした。ずっと内緒にしておこうとしたのに、類に秘密がばれてしまった。玄関を開ける音がして、類が家を出ていったと分かる。類も混乱していた。一刻も早く理人と離れたくて、先に家を出たのだろう。

「ううう……、わあああ……」

絶望して呻き、理人はがっくりとうなだれた。しばらくそのまま固まっていたが、階下から母の「ご飯よ」という声がして顔を上げる。

朝っぱらからとんでもない事態になったが、このままこうしているわけにもいかない。仕方なく理人は制服に着替え、階下に下りていった。

「あなたたち、どうしたの？　ルイはとっくに学校へ行ってしまったわよ？　いつも一緒なのに、今日は別々なのね」

リビングにいた母が、いぶかしげに言う。ダイニングテーブルには理人の朝食だけが置かれている。食欲はなかったが、理人はもそもそと朝食を食べた。

（類、ショック受けてるだろうな）

決して明かせないような感情をすでに理人が知っていると気づいたら、類はどうするのだろう。何度も思い描いていた不安が現実になり、理人は落ち込んだ。正直言って、学校へ行くのが怖い。類と会うのが恐ろしい。詰られたり、気味悪がられたり、嫌われたり、という最悪の展開しか思い浮かばない。

（謝ったほうが……いいよな。知られたくない気持ちを勝手に覗いてしまったようなもんだし）

双子とはいえ、心の内まで知られるのは嫌なはずだ。とはいえ、想像しただけで胃がきりきりする。

「大丈夫？　顔色悪いわよ？」

何も知らない母はしきりに首をかしげている。理人は言葉少なに、朝の支度をした。


その日の昼休み、類は理人の元に現れなかった。いつも一緒に昼飯を食べるので、大地が不思議がっていた。廊下でも一度も会わなかったし、放課後もおそるおそる教室を覗くといなかった。

類に会えないと、緊張感は増すばかりで、胃がずっと痛い。塾では顔を合わせるだろうかと思ったが、塾にも現れなかった。

「類、今日はモデルの仕事？」

帰り際、珍しく一人でいる理人に、海が尋ねる。

「あ……うん、まぁそんな感じ……」

理人は曖昧な笑みを浮かべ、ため息をこぼした。さすがに家では会うだろうと覚悟していたが、いつまで経っても類は帰ってこなかった。

父が仕事から戻り、十時頃になって、ようやく類から連絡が入る。

「ルイ、しばらく友達のところに泊まるって」

電話を切った母が、困惑した様子で言う。家にも戻ってこないのかと、理人は大きな衝撃を受けた。一人部屋のない理人たちは、一人になる場所がない。それは分かっていたが、まさか帰宅すら拒否されるとは思わなかった。それだけ類はショックだったのだと思うと、胸が痛い。

「あなたたち、何かあったの？　朝から変よ」

母に真面目な顔で聞かれ、理人はどう言っていいか思いつかず、無言になった。類に完全に避けられていると分かった今、自分に何ができるか考えてみたが、一向にいい案は浮かばなかった。類の怒りや混乱が治まるのを待つしかない。

（でもずっとこのままだったら？　類のショックが和らぐ日なんて来るんだろうか？）

こんなことなら御守りなんて買ってくるんじゃなかったと激しく後悔した。一人で寝るベッドは広すぎて、何だかとても寂しい。部屋も静かだし、孤独感が増す。

尽きぬ後悔に苛まれながら、理人は類の帰りを待った。


類はそれから三日、家に帰ってこなかった。

類にきちんと説明したいと思い、スマホに連絡を入れてみたが、読んでいる様子はない。留守番電話にもごめんと吹き込んだが、返信はなかった。

「ルイったら、年上の彼女の家に居ついているみたいよ？」

夕食の席で、母が呆れたような声で報告した。類は母からの電話はとったらしく、どこにいるか明かしてきたそうだ。相手は社会人の女性というので、おそらく類と身体の関係にあるミコという女性の家なのだろう。母は彼女を恋人と思っているようで、困った声ながら、学校に行っているならいいだろうというスタンスだ。父に至っては、青春してるなと笑っている。

類と会えない日が続き、理人は暗い日々を過ごした。

ここまで完全に避けられるとは思っていなくて、類の心中を慮《おもんぱか》ると憂鬱になる。自分のことを嫌いになったのかもしれない。心が読まれているなんて、理人だって嫌だ。だが、理人も好きで心の声が聞こえるわけではないし、言い訳くらいさせてほしい。そう思い、昼休みの時間に、意を決して類のクラスに顔を出してみた。

類はとっくに教室から出ていて、廊下や中庭、食堂や購買を探してみたが、どこにもいない。学校には来ているらしいが、こんなに長く類の顔を見ないのは初めてで、不安で気分が沈んだ。

（いつも類が俺に依存してると思ってたけど、実は俺のほうが類に依存してたんだなぁ）

そんなことをしみじみ感じ、理人はやるせなくなった。いつも一緒だった人がいないだけで、こんなに空虚な感じになるとは思わなかった。類の体温を感じたくて、寂しくてたまらない。

放課後のクラスに残り、自分の席でぼーっと帰り支度をしていると、帰ろうよと大地に肩を叩かれる。

「理人たち、喧嘩でもしたの？」

すっかり顔を見せなくなった類に、大地も何かを察している。

「ん……」

しょげた口調で理人がうつむくと、大地が廊下に目をやる。

「あ、類」

大地の声につられて理人は顔を上げ、廊下に視線を移した。鞄を抱えて廊下を歩いている類の姿を見つけ、胸がどきりとする。ふっと類がこちらを向き、理人に気づいて嫌悪の表情を見せる。それだけで胸の底に鉛が沈んだようになり、泣きたくなった。類は足早に廊下を去っていって、追いかける間もなかった。

「すごいこじれてるんだね？　あんなに理人にべったりだった類が、避けるくらい」

大地も類の態度におののいている。理人は椅子から立ち上がれなくなって、鞄に顔を突っ伏した。今出ると、駅で類と会うかもしれない。これ以上嫌われたくないので、時間をずらそう。そう思い、重苦しい息を吐く。

「そういえば、火傷の痕、綺麗に消えたね」

大地が気を遣って話題を変えてくる。理人は自分の手を眺め、苦笑した。

「そうだね……」

火傷した手を眺めていると、類があれこれ気遣ってくれた記憶が蘇る。類はもう理人の顔を見たくないのかもしれない。許してくれないのかも。考えれば考えるほど、嫌な想像しかできなくて、落ち込んでくる。せめて類と話がしたい。理人は類の心の声が聞こえるが、近くにいなければ分からない。あの朝からずっと類と離れているので、類が何を考えているか、さっぱり読めないのだ。

「元気出せよ」

事情を知らない大地が慰めてくれる。ありがとうと呟き、理人は重い腰を持ち上げた。


それから四日が過ぎ、類が一向に戻ってこないまま十一月になった。類はずっと塾も休んでいるので、海と大地が本気で心配している。

「マジでお前ら、何があったんだよ？　類がいないと、帰り道が怖いんだが」

塾から駅までの帰り道、大地がきょろきょろ周囲を見回して言った。駅までの繁華街にたまに強面の集団がいるので、大地はそれを心配しているのだろう。大地も理人も暴力とは無縁の存在だ。女性ながら、海のほうが強いかもしれない。

「ホントだよ。何があったの？　類ってば、受験生の自覚あるの？」

海も類がいなくて物足りなそうだ。喧嘩の原因をしつこく聞かれたが、とても口に出せる内容ではない。その前に、まず信じてもらえないだろう。同じ双子でも、海と大地にテレパシー能力などない。

「心配しなくても、類は彼女の家に入り浸ってるだけだから」

二人の追及を逃れようと、理人はゲームセンターの前で何気なく言った。すると海の顔が強張り、激しく動揺する。その表情を見て、理人はどきりとした。

「ごめん。海、類のこと好きだった？」

海のショックを受けた表情を見て、知られざる恋心を察してしまった。

「そういうんじゃないけど！　ちょっとびっくりしただけから！」

海が強い口調で否定して、顔を背ける。あちゃーという顔で大地が理人の腕を突く。素直じゃなくて気が強い海は類への恋心を否定する。自分が落ち込んでいるからって、海まで傷つけてしまったことに深く反省した。黙っていればよかった。やることなすこと裏目に出ている。

「類ってば、彼女いるんだ。ふーん。入り浸ってるなんて、やらしー」

海はとげとげした口調で、さっさと前を歩いている。逆に大地は「羨ましい。例の彼女か？　類って大人だよな」と妄想に耽《ふけ》っている。

ぎくしゃくした感じで、駅で二人と別れ、理人は帰宅した。

玄関を開けて、類の靴がないか確認する。今日もまた類は戻ってこないようだと知り、がっかりした。

「お帰り。リヒト、私たち今週、旅行に出かけるんだけどどうする？」

リビングに顔を出すと、オーブンから熱々の耐熱皿を取り出した母が、陽気な口調で話しかけてきた。今夜はタルティフレットだ。じゃがいもにベーコンや玉葱を入れ、チーズをふんだんにかけた料理で、理人も類も好物だ。テーブルには蛸のサラダと茸のクリームスープが置いてある。

「どうするって、俺、受験生……。旅行ってどこ？」

行くつもりはなかったが、とりあえず行き先を尋ねた。チーズのいい匂いが部屋中に広がっている。

「ママの実家よ」

受験生がこの時期にフランスなど行けるわけがない。理人は留守番していると仏頂面で答えた。

父の有給がとれたらしく、母はウキウキした様子だ。類が一向に家へ帰ってこない件については何も悩んでいない。

「ルイが帰ってこないなら、リヒト一人になっちゃうわね。ユウミさんに来てもらう？」

キッチンに姿を消した母から声がして、理人はうんざりしてソファに座った。

「俺、高校三年生だよ。一人で平気。何かあったら電話するから」

夕実《ゆうみ》は父の妹で、翻訳の仕事をしている叔母だ。たまに遊びに来て、父の秘蔵の酒を浴びるほど飲んで帰っていく陽気な人だ。嫌いではないが、高校生のお守りをさせる相手ではない。

「一応ルイにも言っておくわね。リヒトが一人で留守番するなら、ルイも帰ってくるんじゃない？」

キッチンから戻ってきた母は、バケットとナイフを持ってきて、テーブルの上で切り分ける。それに返事をしないまま、理人はサラダを皿にとり分けた。父がタイミングよく帰ってきて、テーブルの料理に美味しそうだと母にキスをする。

「類は今日も帰ってこないのか？」

家族で夕食を囲みながら、父が呆れた顔をした。父も母も、類が帰ってこない理由は理人にあると思っている。実際そうなわけで、しつこく聞かれる前に、理人は急いで夕食をかっ込んだ。

「ごちそうさま」

食後のお茶を半分残し、理人はそそくさとリビングを出ていった。父と母は楽しそうに旅行の話をしている。

部屋に戻り、着替えをすませると、理人は参考書を広げて勉強に励んだ。隣の机が空いていて、分からない問題があっても聞くこともできない。いつも類といる時はイヤホンをつけていたが、この静けさの前には必要なかった。

（このままじゃ駄目だ。どうにかしないと）

勉強に身が入らず、理人はがりがりと頭を掻いた。ふいに机の上に置いていたスマホが鳴りだし、理人はびくっと背筋を伸ばした。

着信画面に類の名前がある。緊張が走り、理人は手に汗を掻いて電話に出た。やっと類が自分と話す気になったのか。怒らせるようなことは絶対に言ってはならない。さまざまな思いが脳内を駆け巡り、鼓動が速まった。

「類か？」

おそるおそるといった口調で切り出すと、電話の向こうでためらう気配があった。

『……兄貴、正直に答えてほしい』

久しぶりに類の声が耳に届き、理人はぶわっと汗が飛び出た。類の声は尖っていて、仲直りする雰囲気ではない。慎重に言葉を選ばなければと決意した。

「うん……」

『俺の心の声が聞こえるのか？　今も？』

類が電話をかけてきた理由が分かった。類なりに考えて、電話でも心が読めるのか確かめようとしている。今さら心の声って何、とすっとぼけるには無理があり、理人は正直に答えることにした。

「目の前にいないと聞こえない。隣の部屋にいる時は聞こえなかった」

『そう……。他の奴らも聞こえるのか？』

類の声にわずかな安堵の色が浮かんだ。やはり心の声を聞かれているのは嫌なものなのだ。

「お前のだけ……。類、俺だって聞きたくて聞いているわけじゃない。勝手に聞いてごめん、何べんだって謝るから、帰ってきてくれよ。俺の近くにいるのが嫌なら、部屋分けてもらうし」

理人はこれだけは聞いてもらわなければと、まくしたてるように言った。類はしばらく黙り込み、スマホ越しにため息をこぼした。

『――俺が、兄貴を抱きたいって思ってたの、ずっと知ってたんだ？』

かすかに怒りを滲ませて、類が呟いた。胸が締めつけられるように痛くて、理人は喘ぐような息遣いになった。

「……ごめん」

他に言いようがなくて、理人は情けない声を出した。

『謝るの俺だろ？　キモイ目で兄貴を見てて、悪かったよ。頭がおかしいのかな、俺。実の兄貴に、しかも双子のさ。軽蔑してた？　ホントは触られるのも嫌だったんじゃないか？』

投げやりな口調で類が言い、理人は慌てて「そんなことない」と遮った。

「やめてくれよ、類を嫌うなんてあるわけないだろ！　お前が苦しんでるのも知ってた、だから自虐的なこと言わないでくれよ……」

ずきずきと胸が痛み、理人は目を潤ませた。類がどれほど自己嫌悪に陥ったか想像するだけで苦しくなる。本当なら知られるはずのなかった秘密を勝手に覗いていたのだ。悪いのは自分だ。

『……なぁ、兄貴。一回だけ、ヤらせてくんない？』

かすれた声と共に、類の思いがけない一言が降ってきた。

『そうしたら元の兄弟に戻るからさ。家にも戻るし、家族の前ではふつうにするよ』

類の提案は理人にとって想定外のものだった。一回だけ、セックスしようと言っているのだ。実の兄弟なのに。本気で言っているのかと、理人は困惑した。自分は男で、類も男なのに。けれど、もしそれで類が帰ってくるなら——。

(でもヤるって、類と？　そんなの絶対無理)

混乱して、理人はぶるぶると震えた。少し考えさせてと言ってみようか。とても今答えられる提案ではない。

『駄目？　今すぐ答えて』

突きつけるような口調で類に言われ、理人は目元を擦った。何故か分からないが涙が滲んできた。

「わ……かっ、た」

ここで拒絶することは到底できなくて、理人は気づいたらそう言っていた。言った瞬間、とんでもないことを言ってしまったと激しく後悔したが、遅かった。

『そう。じゃあね』

類は素っ気ない声で電話を切った。もっと違う返答を期待していたので、理人の声が本当に聞こえたのかと疑ったくらいだった。通信の切れたスマホを握りしめ、机に突っ伏す。類は本気だろうか？　本気で自分とセックスするつもりなのだろうか？　一度でもそんなことをしたら、元の関係になんて戻れないのに。でもこのままじゃ類はずっと家に帰ってこない。父も母も悲しむし、理人自身も類がいなくて寂しい。そう、自分はとても寂しいのだ。以前は離れたいと思っていたのに、いざ離れたら、寂しくてしょうがない。

このチャンスを拒絶したら、類は一生離れていく気がする。それくらいだったら、抱かれるのを我慢するほうがマシだ。

（どうしよう、どうしよう。類が本気でする気だったらどうしよう）

勉強どころではなくなり、理人は頭を抱えて呻き声を上げた。鼓動は早鐘を打つようだ。何も考えられなくなり、理人はずっと机に頭をくっつけていた。

■4　半身

類は次の日もその次の日も帰ってこなかった。

最初はやきもきしていた理人も、日が経つにつれ、あれは聞き間違いか、類の質の悪い冗談だったのではないかと考えるようになった。類は女性としかセックスした経験はないはずだし、ああは言ったものの後悔しているかもしれない。そもそも男性同士がどうやって性行為をするか、理人は知らない。類の声を聞く限り、尻の穴を使うようだが、あんなきつくて狭い場所に男性器が入るはずないし、現実問題として不可能に思えた。せいぜい互いの性器を擦り合う程度だろうと理人は考えている。

金曜の朝には父母が旅行の支度をして、理人に不在中の食事代を手渡してきた。何かあったら連絡してと母はお気に入りのコートを用意して言う。

もしかしたら類が今日は帰ってくるのかと思い、授業を終えた後はしばらくクラスで待ってみた。だが、やはり類は姿を見せない。念のため、類のクラスへ行ってみると「類なら、もう帰ったよ」と眼鏡男子に言われた。

気落ちして大地と塾に向かうと、数式や公式を覚え、ノートに試験に出そうな部分を写し取った。類はずっと塾に来ていない。学力は大丈夫だろうか。

大地と駅で別れて、一人で寂しく家に帰った。誰もいない部屋は真っ暗で、妙に気分が沈んだ。高校生だし一人でも平気と言ったものの、誰もいない家は静かすぎて心もとない。冷蔵庫を開けて母の作った総菜の入ったタッパーを並べて夕食にした。テレビを見ても気が晴れないし、勉強を終えた後は、風呂に入ってパジャマに着替え、ベッドへ潜り込んだ。

——玄関の鍵が解錠される音が聞こえたのは、理人がうとうとしかけた時だ。

びっくりして起き上がり、布団を押しのけた。

階下で物音がする。ひょっとして類だろうかと、理人はドキドキしてベッドから下り立った。階段を上がってくる音がして、聞き慣れた足音につられてドアを開けた。

目の前に類が立っていて、いきなり開いたドアに驚いている。

「類……」

類が帰宅したことに思わず顔をほころばせると、理人は一瞬にして緊張した。類が帰ってきたということは、まさか例の約束を履行するつもりだろうか。確かに今夜は両親がいない。

「ただいま」

類は理人から目を逸らし、持っていた大きなバッグを部屋の隅に放った。類は見覚えのないブランドもののセーターを着ていて、おまけに耳にはピアスをつけていた。いつ穴を開けたのだろう。似合っているが、知らない類が増えたみたいで悔しい。

「兄貴、ヤらせてくれるんだよね？」

類と腹を割って話したいと思っていた理人は、ふいうちのように優しく声をかけられ、ぎくりとした。類が近づいてきて、無意識のうちに後ずさる。

「そ、れは、その……」

類と目を合わせるのが怖くなり、理人はうろたえた声を上げた。膝裏が何かにぶつかったと思った時には、類に胸を押されて、ベッドにひっくり返っていた。

「俺に帰ってきてほしいんでしょ？　家族ごっこ、してあげるから」

理人の身体に覆い被さって、類が言う。類の声は優しかったが、どこかやさぐれた雰囲気が漂っていた。ここで拒絶したらきっと類は出ていってしまう。そう判断して、理人は黙って類を見上げた。ふっと類が笑って、理人の唇に唇を重ねてくる。

「……っ」

いきなり唇を舐められて、理人はびっくりして身をすくめた。類の指が理人の唇の端に突っ込まれ、こじ開けるようにされる。

「口、開けて。やらしいキスしよう」

上擦った声で囁かれ、理人はおずおずと口を開けた。類の舌が口内に入ってきて、舌や歯を舐められる。おやすみのキスはしていても、ディープキスは初めてで、理人は混乱して息を乱した。類の舌に舌を搦《から》めとられ、ぞくぞくっと得体の知れない感覚が競り上がってくる。互いの唾液が絡まり合うし、吐息がぶつかって、濡れた音がする。

「は……っ、は、……っ」

類は理人のうなじを押さえ、貪るように口づけてきた。こんな激しいキスは知らなくて、理人は目に涙を滲ませた。類が興奮しているのが重なった肌越しに伝わってくる。唇を食まれ、何度も吸われる。類の手が理人の身体をパジャマ越しにまさぐり、下腹部に移動する。

「ね、兄貴……。俺、ずっとこういうキス、したかった」

さんざん理人の唇を舐め回した後、類が耳朶に唇を押しつけて囁いてきた。口から心臓が飛び出しそうだと思い、理人は引き攣れた息を上げた。類の腰が押しつけられ、硬くなった下腹部を理人に教える。

（類……、本気でするつもりなんだ……）

理人はひたすらおののき、類の身体の下で震えた。

「すげーね。キスだけで俺、ガチガチになった」

類はどこか他人事のように言い、理人のパジャマのボタンを外していく。理人は抵抗こそしなかったものの、怖くて、どうなるか分からず、涙目で類を見つめていた。部屋は薄明かりしかついていなかったので、類の表情がよく見えない。類はどんな気持ちで理人に覆い被さっているのか知りたかった。類は興奮しているせいか、言葉にならない声で理人の名前を呼んでいる。

「類……俺」

理人はパジャマの前を全開にされ、心細い声を出した。下に何も着ていなかったので、類の前に裸の胸をさらしている。

「気が変わったら困るから、全部脱がすよ」

類は手早く理人のズボンも引き抜き、下着も下ろそうとする。類に下腹部を見られるのが恥ずかしくて、理人はわずかに抵抗した。だが、強引に下着も取り払われる。

「何度も妄想したけど……リアルは、ぜんぜん違うな」

類は下腹部を手で隠している理人を見やり、からかうような声で言う。

「俺に見られんの、恥ずかしいの?」

目を細めて言われ、理人はカッと頬を赤くし、下腹部を隠すように身体をねじった。シーツの上で身を丸めるようにすると、類がどこからか取り出したボトルを逆さにした。

「ひゃ……っ」

尻の辺りに液体を垂らされて、理人は変な声を上げてしまった。類は手のひらでその液体を理人の尻のはざまに擦りつける。

「何……?　やだ、それ」

類の手が尻の割れ目に沿って何度も動き、理人は困惑して呟いた。液体はぬるぬるしていて、時おり類は尻の穴に濡れた指を潜らせてくる。そのたびに理人は腰を震わせ、不安になった。

「セックスさせてくれるんでしょ?　ここ、使うから」

密着してきた類が尻を揉み、中指を尻の穴に埋めてくる。理人は動揺して、怯えた顔で振り返った。

「何?　こんなの、俺がよく妄想してたやつでしょ?」

初めてのことに怯える理人に、類が眉根を寄せて言う。そんな妄想は知らない。尻に性器を入れたいと言っていたのは知っているが、どうやるかまでは聞いていない。

「……ああ、そっか。勘違いしてた。俺の妄想が見えたわけじゃないんだ?　心の声を聞いてただけなんだね」

類は理人の反応に何かに気づいたようで、くっと笑いだした。

「よかったね、兄貴。さすがに俺が想像してたものが見えてたら、大人しくヤられてくれなかっただろうな」

理人の首筋に顔を埋め、類が指を奥深くまで差し込んでくる。内壁を探られる嫌な感触に、理人は身悶えた。首筋をきつく吸われ、びくりと腰が動く。類は濡らした指で内壁を広げるように動かす。

「類……、それ、やだ」

耳朶を食まれながら内部に入れた指を動かされ、理人はかすれた声を出した。何度も指を出し入れされ、強引に二本目の指が入ってくる。

「痛いよ……、類」

情けない声を上げても、内部を弄る指は止まらない。首筋を何度も吸われ、耳朶を甘く噛まれる。類の息遣いはずっと荒くて、理人は怖くてたまらなかった。生まれた時から一緒のはずなのに、まるで他人に思える。伸し掛かってくる身体が重い。類の身体は大きくて、簡単に理人を押さえつけられる。

「少し我慢して。いいところ、探ってるから」

類が舌を耳朶の穴に差し込んでくる。鳥肌が立って、身をすくませた。さっきからずっと耳朶を舐められて、耳がべたべたしている。そう思った矢先、内部に入れた指がふっくらしたしこりをぐりっと擦り上げてきた。

「ひ……っ」

ふいに痺《しび》れるような熱が身体に走り、理人は腰を揺らした。

「ああ、ここだ。ここ、気持ちいいでしょ」

類は入れた指を小刻みに動かす。同じ場所を執拗に擦られ、理人はびくりびくりと腰を揺らめかした。類の指で奥を擦られると、全身に熱が伝わっていく。太ももはわななくし、息が乱れる。

「や、だ……、それ、何？　類、やだ」

経験したことのない感覚に、理人は怯えて逃げようとした。けれど類の空いた腕が腰に回り、押さえつけるようにしてくる。

「男って、ここで感じるんだよ？　知ってた？　知らなかったか、兄貴は」

指で何度も突かれていくうちに、理人にもはっきりとした快感が分かってきた。呼吸が勝手に荒くなり、頬が赤くなる。いつの間にか自分の性器が勃起しているのに気づき、理人は混乱した。類が抱きたいと言っても、理人は反応などしないと思っていたのに。

「嘘……、やだ、そんなとこで……、ひ……っ、あ……っ」

類の手の動きを止めようと後ろ手で押さえてみたが、入れた指をぐりぐりと動かされただけだった。そこを弄られるたびに、変な声が出てしまうのが嫌で仕方ない。

「兄貴の、勃ってるね？　お尻、気持ちぃーんだ……」

揶揄する口調で、類が耳朶をしゃぶる。嘘だ、嘘だと言い募り、理人は必死に胸を上下させた。類は液体を追加し、理人の尻の奥をさらにぬるぬるにする。

「ほら、柔らかくなってきた。指、三本目だよ」

理人の腰を押さえつけて、類が強引に三本目の指を入れてくる。類の指を三本も受け入れるのは苦しくて、理人はいやいやと首を振った。類が指を出し入れすると、濡れた卑猥な音が室内に響く。もうやめてほしくて、理人は目から生理的な涙をこぼした。

「類、許して……、そこやだ……、ぁ……っ、あっ、あっ」

泣いて頼めば類は許してくれるのではないかと淡い期待を抱いたが、逆に類は興奮したような息を理人の耳朶に吹きかけた。

「我慢して。兄貴に痛い思いはさせたくない。ゆっくり、こじ開けるから、ここを」

入れた指を内部で広げ、類が切羽詰まった口調で言う。

類の申し出を受け入れた時は、男同士で尻を使うのは知っていても、実際にできるとは思っていなかった。だがこうして類の手であられもない場所を弄られると、本当に男を受け入れることができるのかもしれないという思いが押し寄せてきた。類の性器がそこに入るのだろうか。信じられない。女みたいに、類を受け入れるのか。

「嘘……、やぁ……っ、あ……っ、もうお尻、やだ……」

理人は泣きながら身をくねらせた。類は衣服一つ乱していないのに、理人はほぼ全裸になって身悶えている。

「嫌だって言っても、勃起してるじゃん。兄貴、カウパー出てる」

入れた指を律動させながら、類が笑う。ハッとして見ると、理人の性器の先端からとろとろと先走りの汁があふれ出ていた。自分がそんなに感じていたのを知らず、理人は混乱した。息は苦しく、身体は熱い。口から甲高い声は出るし、勝手に腰がびくっとする時がある。それでも自分が感じているのが信じられず、理人は顔を手で覆った。

「ち、がう……、やだ、……っ、はぁ……っ、あ……っ」

理人は濡れた声を上げ、肩を揺らした。永遠に続くかと思った尻への愛撫《あいぶ》は、しばらくすると指を引き抜かれて終わった。異物感が消えて安堵する間もなく、ベルトを外す音が聞こえた。

「兄貴、入れるよ」

上擦った声で類が囁き、うつ伏せになった理人の腰を抱え上げた。待って、と言う間もなく、先ほどまで執拗に弄られた尻の穴に、硬くなった類の性器の先端が押しつけられる。

「類、類……、本気？」

理人は怖くなって、震える声で尋ねた。大きな息を吐き、類が返事をしないまま、腰を進めてきた。

「ひ、あ、ああ……っ」

ほぐしたとはいえ、狭い尻穴に、類の性器が潜り込んでくる。熱くて硬くて、とてもじゃないが声を上げずにはいられなかった。弟に犯されている。そう考えるだけで頭が真っ白になり、理人はがくがくと膝を震わせた。

「きっつ……。兄貴の中、すげー熱い……、ああ、マジでヤってる」

性器を徐々に押し込みながら、類が苦しそうに呻く。濡らしたせいか、入るわけがないと思った類の性器はぐっと中ほどまで入ってきた。異物感で理人はひたすら呼吸を繰り返し、大量の汗を噴き出した。

「ひ……っ、は……っ、はひ……っ、やぁ……っ」

類の性器は思ったよりも大きくて長くて、理人は息を荒らげるしかなかった。逃げようにも腰を押さえつけられ、動けない。広げた脚は今にも頽《くずお》れそうで、理人はシーツに頭を擦りつけた。

「あー……、すげー締めつけ……。気持ちいい……」

中ほどで動きを止めた類は、かろうじて理人の身体にかかっていたパジャマの上を引き抜き、背中に手を這わせてきた。理人は苦しくてたまらなかったが、類は気持ちいいのだ。そう思うと訳の分からない感情に支配され、視界が涙でかすんだ。

「馴染むまで動かない……。兄貴、苦しい？　さすがに萎えたな……」

必死に呼吸を続けている理人に、類が安心させるように言う。先ほどまで勃起していた理人の性器は、挿入の苦しさで萎えている。類の手は背中やわき腹を宥めるように這っていく。その手が前に回り、乳首を摘まむ。そんなところを触られても何も感じないと思ったが、指先でぐりぐりと擦られているうちに、硬く尖った。

（一回だけって、言った。一回だけ辛抱すれば……）

苦しくて涙は止まらなかったが、理人はそう思い、それに耐えた。最初は圧迫感と異物感に息も絶え絶えだったが、ずっと類が動かずにいると、少しずつ苦しさは緩和された。

『兄貴……、兄貴を犯してる。ずっと妄想してたけど、現実にできるとは思っていなかった』

類の心の声が聞こえてきて、理人は目尻の涙を拭った。苦しさが薄れると、締めつけていた類の性器への抵抗も和らぐ。

「ゆっくり、動くよ」

理人の身体の状態を敏感に察し、類が背中を撫でながら囁く。言葉通り、類の腰が小刻みに動きだし、理人はその衝撃で息を呑んだ。

「ひっ、やっ、あっ、あっ、あ……っ」

内部を硬い性器が動くたびに、初めての感覚に襲われた。熱くて痺れるような塊が尻の奥にある。そこを類の性器で突かれると、甲高い声が飛び出るのだ。頬は赤くなるし、呼吸もまた忙しくなる。これがセックスなんだと理人はおぼろげに感じた。入れただけで終わるわけではない。

「すごい、兄貴の中、気持ちいー……。ぜんぜんもたない、イきそうだ」

類は荒々しい息遣いで、腰を律動してきた。内部を突いていた動きが徐々に激しくなり、理人は怖くなって枕を抱えた。類が感じている声が、耳から理人の感情を揺さぶる。尻に弟の性器を銜《くわ》え込んでいる。その背徳感で眩暈がする。

「兄貴もイって」

腰を揺らしていた類が、前に手を回してくる。類の手で性器を扱かれると、そこはあっという間に硬度を取り戻した。

「やだ、俺はいい、いいから……っ、あっ、あっあっ」

性器を扱かれると、急激に気持ちよくなって、理人はあられもない声を上げた。類の手の中で性器は反り返り、先端の穴をぐりぐりと弄られて簡単に濡れていく。前が気持ちよくなると、不思議なことに奥を突かれるという行為も気持ちよくなってきた。

「やだ、や……っ、あ……っ、はぁ……っ、はぁ……っ」

類の手で激しく性器を擦られ、理人は乱れた声を上げた。腰が勝手に蠢《うごめ》いてしまう。気持ちよくて、射精したくなる。

「兄貴、イきそう？　俺も限界だ」

はぁはぁと息を喘がせ、類が言う。乱暴に性器を扱かれ、理人は腰をひくつかせて、絶頂に上り詰めた。類の手の中に精液を吐き出し、銜え込んだ類の性器を締めつける。

「うっ、く……っ、はぁ……っ、は……っ、駄目、出すよ」

苦しげな声を上げ、類が激しく腰を動かしてくる。とたんに、内部で類の性器が膨れ上がり、どろりとした熱い液体を吐き出してきた。理人は息が苦しくて、全力疾走したみたいに、必死に呼吸

を繰り返した。類も同様に獣じみた息を吐き、腰を震わせる。

「はー……っ、はー……っ、は、……っ、すっげ、痺れた。中出しなんて、初めてした」

呼吸を繰り返し、類が覆い被さってくる。理人は乱れた息に声も上げられず、シーツに倒れ込んだ。理人の出した精液がシーツにかかっている。本当に類と一線を越えてしまったのだと、深い衝撃を感じていた。

『あーあ、兄貴可哀そうに。馬鹿だな。俺がホントに一度ヤれば身を引くと思ってんのかな』

ふいに類の嘲《あざけ》るような声が聞こえ、理人はギョッとして振り返った。視線が合い、類が皮肉っぽく笑いながら唇を吸ってくる。

「考えないようにがんばってたけど、聞こえちゃった？　ごめんね、兄貴。兄貴のこと、手放す気、ないから」

ずるりと腰を引き抜き、類が熱っぽい目つきで言う。

「だ、だってお前……一回ヤれば兄弟に戻るって……」

信じたくなくて、理人は怯えて言った。理人の身体を仰向けにして、類が両脚を抱えてくる。強引に腰を上げられ、再び硬度のある性器がまだ開いていた尻の穴に押し込まれた。

「ひ……ッ、嘘、やだ、何で」

再び硬い異物で串刺しにされて、理人は身を仰け反らせた。類が中で射精したせいか、一度目の挿入よりスムーズに内部へ性器が入ってきた。

「ふー。あっちぃ」

類は着ていたセーターを脱ぎ、シャツを床に放る。

「ねぇ、俺がどれだけ兄貴に執着してたか知ってるでしょ？　一回ヤったくらいでそんな想いが消えると思う？　俺はどうやって兄貴を自分のものにするかしか、考えてなかったよ。ホントに目の前にいる時じゃないと心の声は読めないんだね。可哀そうに」

類は理人の脚を広げ、再び腰を揺らす。類が動くたびに濡れた卑猥な音がして、理人は涙目で首を振った。

「二人が帰ってくるまでに何回、できるかな。兄貴の身体、俺の形に変えなきゃ」

極上の笑みを浮かべ、類が屈み込んで理人の唇を貪ってきた。その激しい感情に抗えないまま、理人は闇に引きずり込まれた。


類はどこにそんな熱情を抑え込んでいたのかと思うくらい、夜通し理人を抱き続けた。

疲れ果てて意識を失うように眠りについたのは明け方近くだった。それから何時間が経ったか分からないが、理人は疼くような感覚と身体を揺さぶられる動きで目を覚ました。

「な……っ、ひ、あ……っ」

意識が覚醒すると、尻の穴に類の大きな性器を入れられていた。シーツは乱れ、カーテンは閉めっぱなしで隙間から日光が漏れている。

「あー……、起きた？　よっぽど疲れてたんだね。もう昼だよ」

背中から抱き込まれる形で類に言われ、理人はぶるりと腰を震わせた。意識のない理人の身体を類は犯していたらしい。互いに全裸で、身体は汗ばみ、べたついている。類は理人の耳朶をしゃぶり、軽く腰を律動する。

「あ……っ、あ……っ、あ……っ」

奥を突かれるたびに信じられないくらい甘い声が漏れて、理人は狼狽《ろうばい》した。昨夜初めて繋がった時は苦しさのほうが勝っていたのに、今はすっかり類の形に馴染んで気持ちよくなっている。

「ね、奥で感じてきてるでしょ。中がひくついてるから、分かる。それにすごく奥まで入るようになった。中でイけるようにもなるかな」

類は前に回した手で理人の勃起している性器を撫でる。眠っていたのに感じていたのか、性器はしとどに濡れ、反り返っている。

「嘘……、やだ、類……まだヤるの……?」

類の身体は大きくて、抱え込まれると自分が子どもみたいに思える。熱っぽい息を吐いて、類は理人の首筋に吸いつく。

「もうちょっとでイきそうだから、いい声出して」

類がそう言いながら腰を突き上げてくる。類が出し入れする音が、理人の頬に朱を走らせる。奥に精液が溜まっていて、類の動きで濡れた音を立てる。類ははぁはぁと息を吐き出し、理人をうつ伏せにして、重なるようにして腰を動かしてきた。

「ひ……っ、ぐ……っ」

深い奥まで類の性器が入ってきて、理人はびくんと身体を揺らした。

「類、こ、怖い……っ、それやだ」

ありえないほど奥に類の性器が届いている。理人は前に逃げようとして、声を震わせた。類はそれを許さず、背中に伸し掛かってくる。

「寝バックでやると、すげー奥まで入るね……。ずっと入れっぱなしにしてたから、ここまで兄貴の身体が開いた……はぁ、気持ちいー……っ」

少しずつ動きを速めながら、類が気持ちよさそうに喘ぐ。理人は奥を先端でこじ開けられるたび、びくっ、びくっと無意識のうちに身体を震わせた。

「やだ、や、ああ、あああ……っ」

痺れる感覚に支配され、理人は甲高い声を上げた。熱がどんどん身体の奥に溜まっていく。出したくないのに、変な声が漏れてしまう。

「ひぃ、ああ、あああ……っ、類、怖い……っ、おしっこ、漏れそう」

理人はがくがくと腰を揺らし、悲鳴じみた声を上げた。脳が痺れ、涙が出てくる。類に動いてほしくないのに、今や類の性器に内壁が吸いついている。

「兄貴、感じてるんだ。漏らしてもいいから、我慢しないで。奥も気持ちよくなってきたんだろ？中、ひくひくしてる」

類がうっとりした声でずんと奥まで性器を突き上げる。理人は声にならない声を上げ、真っ赤になって首を振った。

自慰では感じたことのない快感が理人を襲っていた。声は自然に漏れ、頭がちかちかして、涙が止まらない。腰から下は完全に力が入らなくなり、類が突き上げてくるときゅっと奥を締めつけてしまう。

「やー……っ、あー……っ、あー……っ」

理人が涙交じりの喘ぎ声を立てると、興奮したように類が腰の動きを速めてきた。類は上半身を起こし、激しく理人の奥を突き上げてくる。

「やだぁ、やぁ、あー……っ、類、類……っ、やぁああ……っ」

泣きながら身悶えると、類がさらに興奮して硬くなった性器で穿《うが》ってくる。快楽の波の感覚が狭まり、理人は気づくと仰け反って絶頂に達していた。

「ひあああ……っ、あー……っ、あー……っ」

経験がないほど深い快感に流され、理人は息も絶え絶えになって嬌声を上げた。射精はしていないのに、ありえないほど気持ちよかった。全身がびくびく跳ねて、一瞬頭が真っ白になる。銜え込んだ類の性器を締めつけ、忘我の状態で身を投げ出す。類が内部で射精するのが分かり、理人は必死に呼吸を繰り返した。

「すっげ……っ、ドライでイってる……っ、俺も痺れた」

はぁはぁ息を荒らげ、類が屈み込んで首筋や耳朶にキスをしてきた。そんな些細な動きにさえ、理人は陸に上げられた魚のように跳ねた。ずるりと類が性器を抜き取り、理人の身体を仰向けにする。

「兄貴、気持ちよかった？　こんな泣いてたの？　やべ、また興奮してきた」

涙でぐしょぐしょの理人の顔を見て、類が頬を両手で挟んでくる。貪るように口づけられ、頬の涙も全部舐めとられる。理人はまだ息が整わなくて、類のキスを嫌がるように顔を背けた。

「もう嫌だ……、シャワー……浴びる」

これ以上未知の感覚を知りたくなくて、理人は涙声で言った。昼間からこんなふうに乱れて、どうなってしまうのだろう。

「はは。確かにすげー匂うね。シャワー浴びる？　腹も減ったし」

理人の身体を撫で回しながら、類が笑う。部屋中、互いの精液の匂いが充満している。汚れた身体を洗いたくて理人が頷くと、類がようやくキスの嵐から解放してくれた。

「あ、ママからライン来てる」

ベッドから身を起こした類が、枕元のスマホに気づいて呟いた。理人はどきりとして、身体に緊張を走らせた。類は何故かスマホを耳に押し当てる。

「あ、ママ？　俺。心配しなくても、家に戻ってるよ」

類はいつの間にか母に電話をかけていたみたいで、カーテンを開けながら皮肉めいた笑みを浮かべている。理人は無意識のうちに身を縮め、窓際に立つ類を見上げた。母の声がわずかに漏れてくる。楽しげに会話しているのが分かる。

「兄貴に代わるよ」

類はそう言うなり、スマホを持って理人に近づいた。先ほどまで喘ぎまくっていたのに、親からの電話を渡す意味が分からなくて、理人は固まった。スマホから母の声がして、仕方なく受け取る。

「……もしもし？」

『ああ、リヒト！　よかったわね、ルイが帰ってきて。仲良くやってる？』

悪気のない母の声が、耳から全身に広がる。理人は強張った表情で、「うん……」と答えるので精一杯だった。

『それならいいのよ。何を喧嘩してたか知らないけど、仲良しなんだから、あなたたちは。こっちは楽しくやってるわ。おばあちゃんが孫に会いたがってる。大学に進学したら、家族皆で遊びに来てほしいって』

母は陽気な声で生家での様子を語る。楽しくしている母には、とてもじゃないが類と道ならぬ関係になったとは言えなかった。言葉を濁していると、母が電話の向こうで『おばあちゃんが話したいって』と口早に言う。

『私の天使たち、元気にしているかしら？』

騒がしい声がすると思った矢先、懐かしい祖母のフランス語が耳に入ってきた。祖母は母に輪をかけてロマンチックな人で、会うたび、理人や類を天使と呼ぶ。

「おばあちゃん、元気だよ……。うん、俺も会いたいな……」

祖母の次には祖父が電話を替わり『大学に進学したら遊びに来なさい』と言われる。

「うん……、うん、分かった。じゃあ、類に代わるから……」

理人は無理に笑みを浮かべ、電話を類に返した。咎めるように目の前に立つ類を見上げる。類は何食わぬ顔で祖父母と会話し、ちらりと理人に艶めいた瞳を向ける。

「――ママに言わなかったんだ？　俺に犯されたって」

類は電話を切って、唇の端を吊り上げる。

「言えばよかったのに。さすがにそう言えば、二人とも帰ってくるだろ。俺が兄貴を犯したって言ったら、二人ともどうするかな？　父さんはそういうの厳しいから、家族の縁を切られるかな。ね、言わなかったのは何で？　家族ごっこを続けたい？　いいよ、二人の前では兄弟の顔でいてあげる」

スマホの電源を切り、類が蔑《さげす》んだ口調で言った。類の悪し様な言い方は、理人の心を傷つける。

類を苦しめる気はなかったし、偽りの家族の顔をさせるつもりもなかった。

「類……お前が俺を好きだと思ってるのは勘違いだよ……」

理人はベッドにへたり込み、呟いた。類のこめかみがぴくりと動く。

「俺が病気になったから……、だからおかしくなっただけだろ？」

弱々しい声で理人が言うと、類がベッドに腰を下ろす。

「そうかもね。俺が兄貴に執着しだしたのは、兄貴が目覚めなくなってからだ」

うつろな声で類が言い、理人はやはりと目を伏せた。

「俺たち、生まれてからずっと一緒だったろ。何をやるのも同時で、何かを知るのも同時だった。横を走っていたと思っていた兄貴が、突然立ち止まってしまった俺の気持ち、分かる？」

類は壁に向かって独り言めいた口調で話し始めた。理人は申し訳なくて、唇を噛んだ。

「ぜんぜん動かなくなった兄貴の身体を眺める気持ち、分かる？　怖くて、不安で、このまま目覚めなかったらどうなるんだろうって怯えてた」

ゆっくりと類の視線が理人に注がれる。

「俺ね、小さい頃は何とかして起きないかと、寝ている兄貴の身体を殴ったり、蹴ったり、噛んだりしてたんだよ。知ってた？　それがいつしか触れたり、キスをしたりに変化したんだ。兄貴は生き人形で、俺は怖くて、惹かれた。その想いは勘違いなの？　じゃあ何で、こんなに劣情する？他の女とヤるより、兄貴に触れるほうが何倍も興奮する。勘違いで、俺の身体は変化するわけ？」

類の心を映すように、空気がぴんと張り詰めた。知られざる思いを聞かされ、理人は何も言えなくなった。心が読めるから、類のことは何でも知っている気になっていたのに、知らない類がいる。

間違いだと類が気づいて、理人への想いをなくしてくれるならそれがいいと思っていた。

だがここまでこじれている類の心を変えるなど、無理なのではないか。そもそも双子とはいえ他人の気持ちを変えることなど、傲慢なのではないか。言葉ではもうどうにもならないのだと理人は悟った。

「兄貴こそ、俺の心が聞こえていたなら、どうしてずっと一緒のベッドで寝ていたの？　別々の部屋がいいと言った時も、そこまで強い口調じゃなかったよね。だから俺は、兄貴が病気を発症しないか確認したいって大義名分で兄貴と同じベッドで寝てたんだよ。俺に襲われると思わなかったの？　マジで押し倒されたら、俺に敵わないって分かってたんでしょ？」

類の手が理人の乳首を引っ張る。びくりと胸を揺らし、理人は顔を背けた。

「……お前はレイプはしないって、分かってたから」

理人はうつむいて、絞り出すような声で言った。驚いたように類が身じろぎし、ほうっと息を吐く。

「そっか……そうだね。俺は兄貴を犯したくてたまらなかったけど、兄貴のことが大好きだったから、暴力は使いたくなかった。それで納得した」

類が腰を上げて、苦笑する。

「シャワー浴びて、飯にしよう」

裸のまま類が手を差し出す。理人はそれを見ない振りをして、一人でベッドから離れようとした。けれどベッドから数歩歩きだした時点で、がくりと膝からよろけて床にへたり込んだ。身体に力が入らず、しかも尻の穴からどろりとしたものが垂れてきた。真っ赤になって焦っていると、類が小さく笑った。

「あーあ。体力ねーな、兄貴は……。それに垂れてきてるじゃん、俺の」

類の手が理人の肩を押す。難なく床に転がった理人の脚を、類が持ち上げた。

「蓋しないと、こぼれちゃうな」

そう言いながら、類が性器を扱いて理人の尻の穴に入れてくる。床の上で身体を繋げられて、理人が慌てて逃げ出そうとすると、背中に腕を回された。

「嘘、ま……っ、待って」

繋がった状態で身体を持ち上げられ、理人は驚愕して声を引っくり返らせた。類は軽々と理人を抱えたまま立ち上がる。尻に類の性器を入れた態勢で正面から抱き合う形でだっこされ、理人は信じられなくて口をぱくぱくした。

「ふー……っ、兄貴、軽いな。この前、撮影でお姫様だっこしたモデルの女とあまり変わらない。おっと、暴れんなよ。このまま風呂まで連れていくから」

軽く息を吐き、類が理人を抱えたまま、ドアを開ける。歩くたびに尻の奥に類の性器がずんと突き上げてくる。理人は甘い声を上げて、類の首にしがみついた。

「やだ、やあ、これ、こ、わい……っ、無理だよ、こんな」

理人が怯えた声を上げると、背中に回した手を尻に回し、類が笑う。

「しっかりしがみついてろよ。落としたくないから」

からかうような口調で類が言い、廊下に出る。理人は息を喘がせ、類の腰に脚を絡ませた。揺れるたびに、甘い声が漏れる。怖くてたまらないのに、身体の奥はまだ熱が残っていて、深い刺激に息が乱れる。

「ひああ……っ、あっ、あっ、嘘ぉ」

理人の身体を抱えながら、類が階段を下り始めて、理人は悲鳴じみた嬌声を上げた。一段、一段、ゆっくりと類が階段を下っていく。ずん、ずんと奥まで性器を突き上げられ、理人は真っ赤になって喘ぎまくった。繋がった部分からどろりとした液体が滲み出ているのが分かる。

「すげー締めつける……はぁ、気持ちい……」

類が心地よさそうに言う。理人は類の肩に顔を埋め、身の内に起こる甘い電流に耐えていた。信じられないことに自分の性器から先走りの汁がこぼれ出ている。類の腹に擦られ、身体の奥を突かれ、声を殺せないくらい感じている。

「はは、兄貴、イきそうじゃん」

階段を最後まで下りた時点で、類に濡れた性器を見られて笑われた。理人は熱い息を吐き出すことしかできなかった。怖いと思っていたのに、身体はひどく感じていた。すると階段の前で類が立ったまま、激しく身体を揺さぶってくる。

「やぁ、ああ……っ、ひゃぁ、あ……っ」

尻をもみくちゃにされながら、全身を揺さぶられ、理人はあられもない声を上げた。落ちるのが怖くて、必死になって類にしがみつく。ぐぽっ、ぐぽっと卑猥な水音が理人の脳を刺激する。

「すげー泡立ってる。お風呂場に着くまでに、イっちゃうかな?」

類は耳朶を食むようにして囁き、わざと腰を揺らして歩きだした。浴室のドアを開けた時点で、理人は類の背中に爪を立てて、射精した。

「ひ……っ、は……っ、はぁ……っ、はぁ……っ、あ……っ」

身体を引き攣らせて上り詰めると、理人は荒い呼吸をひっきりなしに繰り返した。類はふーっと息を吐いて、理人の身体から性器を引き抜いた。栓が抜けたように、理人の尻の穴からどろどろしたものがあふれ出てくる。

「ひぃ……、はぁ……っ、はぁ……っ」

床のタイルの上に下ろされ、理人はまだ胸を上下させていた。絶頂直後で身体が弛緩して、とても立ち上がれなかった。類は浴槽に湯を張る操作をした後、シャワーノズルを取り、湯を出す。温かな飛沫が床に向かって流れていく。理人はまだ勃起したままの類の性器を見上げた。類は適温になったシャワーの湯を理人の背中にかけてくる。

「膝立ちになれる?」

類に身体中にシャワーをかけられ、指示される。理人はのろのろと動き出し、壁に手をついて膝立ちになった。

「すごいどろどろだな。しばらく俺の匂いが残りそう」

類は理人の尻の穴から精液を掻き出し、楽しそうに言う。類の指が尻の穴を無造作に掻いていくと、理人は時おり腰を揺らした。反応したくないのに、奥を触られると身体が反応するようになった。こんな場所で感じるなんて、昨日までの自分は知らなかったのに。

「ねぇ、兄貴が火傷してた時、俺が身体洗ったの……どう思ってた?」

ある程度尻の穴を清めた後、類がボディソープを手に取って尋ねてきた。あの時を彷彿《ほうふつ》するように類が手のひらで理人の身体を洗ってくる。もう拒否するのも無駄に思えて、理人はそれを受け入れた。

「あの時、俺がすげー興奮してたの、兄貴は知ってたってことだよね？　こんなふうに尻を洗ってた時、何考えてたの？」

理人の身体を泡立てながら、類が意地の悪い質問をしてくる。答えたくなくて、理人は赤い顔を背けた。類の手は内ももを丁寧に洗い、袋や割れ目をいやらしい手つきで揉んでくる。

「教えてくれないんだ？　ずるいな、俺の気持ちはばれてるのに」

黙り込んでいる理人に、類が苦笑する。あちこちをボディソープのぬるついた手で撫でられ、理人は息を詰まらせた。あの時は感じなかったが、今は類の手が尻を揉むと、腰に熱が溜まっていく。

「こっちも感じるようにしたいな」

理人の乳首を指で何度も弾き、類が微笑む。乳首は刺激されるとじわじわとした熱を伝えるようになっていた。裸なので、また性器が硬度を持つのを見られてしまう。類は一通り理人の身体を洗い終えると、シャワーの湯で泡を流していった。類は続いて自分の身体を洗った。改めて見ると類の身体はたくましく、適度な筋肉がついている。自分とは違う、大人の身体だ。

「一緒に浸かろう」

類は理人の身体を持ち上げ、湯を張った浴槽に下ろしてきた。理人の家の風呂は大きいので、二人が入っても問題はない。湯の中で膝の間に抱え込まれそうになり、理人は嫌がって向かい合って膝を抱えた。

「……どうするつもりだよ、これから」

理人はふてくされた声を出した。兄として、弟の間違った劣情を正したいと思っても、もう自分にはどうすることもできないと悟った。

「どうもしないよ。俺は抑えてた欲望を兄貴にぶつけることにした。父さんとママの前ではばれないようにする。それでいいんだろ？」

濡れた手で髪を掻き上げ、類が言う。他に道はないのかと理人は唇を噛んだ。

「――兄貴が俺に恋愛感情を持ってないのは、知っている」

ふと咎めるような口調で類が吐き出し、理人は顔を強張らせた。

「でも兄貴は俺を愛してる。だから俺を拒否できないんだろ？　その気持ちがある限り、俺は兄貴を手放さないよ」

決意を込めた眼差しで見つめられ、理人は言葉を失った。自分よりずっと類は物を見て、考えている。類の言う通りだ。この関係が間違っていると分かっていても、類をきっぱり拒絶できない。類を愛している。家族として、一緒に生まれた半身として。

「でも……いつか、好きな人ができるかもしれない、だろ。お前だって、セックスは女性とできるんだし……」

どうにか抗いたくて、理人は苦し紛れに言った。

「ミコのこと、知ってるんだよね？」

湯を揺らし、類が目を細める。

「……名前だけ」

理人は目を見交わし合うのが怖くて、うつむいた。

「そう。ミコは二十代のお姉さん。いわゆるセフレって関係かな。爆発しそうな時、お願いしている。向こうも好きな人がいて、俺と同じように想いが吐き出せなくて苦しんでた。同族相哀れむってやつ。――もう、しないよ。兄貴とヤれるなら、必要ない」

さばさばした口調で類は言い切った。そんな簡単なものなのかと、理人は困惑した。身体を重ねた経験は類としかない理人だが、こんなに深い場所を知り合うような行為をしておいて、簡単に断ち切れるものなのだろうか。

「でも……海、だって、お前のこと好きみたいだし……」

勝手に明かしていいか迷いながら、理人は打ち明けた。仲のいい女の子からの好意なら、類だって気が変わるのではないかと淡い期待を抱いて。

「海？　ふーん。それで？」

急に類が面倒そうな顔つきになり、ぐっと身体を近づけてくる。逃げる前に腰を引き寄せられ、唇を吸われた。

「俺が海とくっつけば、兄貴は嬉しいわけ？　くだらね。こんな強い感情、他の奴には持てないよ。こんだけヤってもまだ夢見てるんだな。兄貴ってホント、お人よし」

理人の唇を貪り、類が吐き捨てるように言う。唇に指を突っ込まれ、苦しくて上に逃げると、類が首筋を吸ってきた。

「自分の身体見てから言えよ。すごいことになってるから」

類は理人の腰を持ち上げ、湯から出てきた理人の乳首に吸いつく。きつく乳首を吸われ、理人はひくりと腰を揺らした。言われて見てみると、二の腕に赤い鬱血した痕が点々と残っていた。戸惑って理人が膝立ちになると、類が乳首を舌で弾いてくる。

「後で鏡、見てみるといい。首と内ももは気持ちよくてたくさん痕を残したから」

類にからかうように言われ、理人はサッと顔を青ざめた。そんなに情事の証しがあるのか。確かに類はしつこいほどあちこちを吸ってきて、痛いくらいだった。

「体育の授業までに消えるといいな」

他人事のように類が言い、悔しくて睨みつけた。するとお返しと言わんばかりに類が乳首を甘く噛む。

「ん……っ、う、そこやだ」

銜えた歯で乳首を引っ張られ、理人はかすれた声を上げた。もう片方の乳首を指で摘まれ、無意識のうちに腰が蠢く。

「兄貴がやだって言ってる場所、全部性感帯じゃん」

乳首を舐めながら言われ、理人は赤くなってそっぽを向いた。

「俺もイきたくなった」

類は理人を抱いたまま浴槽から立ち上がり、まだ勃起している性器を理人の身体に押しつけてきた。

「壁に手をついて。支えてるから」

背中を押され、理人は言われるままに蒸気で濡れたタイルの壁に手をついた。類は躊躇《ちゅうちょ》なく理人の尻の穴に性器の先端を押しつけてくる。まだ柔らかかったそこは、簡単に類の性器を引き込んだ。再び腹を大きなモノで満たされ、理人は引き攣れた声を上げた。

「無理……、立ってられない……」

浴槽の湯を揺らしながら律動され、理人は両足を震わせて訴えた。類の手が腰を支え、容赦なく穿ってくる。浴室内に肉を打つ音が響き、眩暈がする。

「さっきイきそうだったから、すぐイけるよ。がんばって立ってて」

尻たぶを広げつつ、類が奥まで性器を突っ込んでくる。理人は身を仰け反らせて、ずるずるとタイルの壁から手をずり落とした。

類は息を荒らげ、激しく腰を振ってきた。先端の張った部分でぐりぐりと感じる場所を擦られ、甘い喘ぎが勝手にこぼれる。こんな関係をこれからもずっと続けるのだろうか？　本当にそんなことが許されるのだろうか？

『兄貴、好き。好き。めちゃくちゃにしたい』

類の心の声が聞こえて、繋がった部分がカーッと熱を持つ。理人は荒々しい息遣いになり、タイルの壁にすがりついた。類の心の声に、感じている自分が嫌だ。尻の奥を揺さぶられて気持ちよくなっているのが恥ずかしい。

「兄貴もまたイきそうになってるじゃん」

腰を振っていた類が気づいて、理人の性器に手を絡ませる。上下に扱かれ、理人はあっという間に高みに上った。

「あー、イきそ……」

類は呻くように言い、一気に性器を引き抜いた。その衝撃に理人は類の手の中で射精し、類は理人の背中に精液を吐き出した。

互いの息遣いだけが浴槽内にこだまする。ぐったりして崩れかけた理人を抱え上げ、類がシャワーの湯で互いの汚れを落としていく。息をするのも困難な理人の頬やこめかみ、耳朶に類が激しくキスをしてきた。

「腹減ったな。ピザでも取る?」

何事もなかったように尋ねてくる類に恐れをなして、理人は悄然《しょうぜん》とうなだれるだけだった。


土曜の夜も何度も抱かれ、日曜の昼まで惰眠《だみん》を貪った。

初めての体験は理人にとって衝撃で、人生観を狂わせるものだった。過度なセックスにさらされ、完全に身体が造り変えられた。尻での快感を覚えた身体は、類のいいなりだった。

月曜は学校へ行かなければと思う一方で、身体が言うことを聞かなかった。類の残したキスマークは身体中にあって、体育の授業の際に着替えるのを他人に見られるのはまずい状況だった。月曜日は理人だけ学校を休み、類は学校へ行かせた。自分がいない間に逃げないか心配していた類だが、理人に逃げ場などない。

平日は、類もさすがに無理を言わなくなった。二度身体を重ねると、安堵して理人を抱いて眠るようになった。身体の痕も残さないようにしてくれたし、疲労困憊する性行為は控えてくれた。二人きりの家の中は濃密な気が充満している。リビングでは絶対に嫌だと理人が拒否したので類も手を出してこなかったが、寝室ではほぼ全裸でくっつき合っていた。

そして、父と母が帰ってくる金曜日の朝——。

理人は、ベッドに起き上がり、何度も瞬きを繰り返した。朝の支度をして学校に行かなければならないと思い、窓のほうへ目を向ける。類がカーテンを開ける。いや、カーテンを開ける音はしたのだが、何故か部屋が暗いままだった。

「……今日、雨？　カーテン、開けてくれよ」

窓際に立っている類に向かって言うと、凍りついたような空気で類が駆け寄ってきた。その姿がぼうっとしか見えず、理人はいぶかしんだ。

「兄貴、見えてないの⁉」

動揺した声を上げる類に、理人はハッとした。視界が狭い。目を開けているのに辺りは薄暗く、視界の半分くらいしか見えていない。

黒夢病が何故黒夢と名づけられたのか――それは病気を発症する数日前から、視界が悪くなる点からだ。徐々に目が見えなくなり、完全に失明した状態に陥ると、眠りから覚めなくなる。再び目覚めた時には目が見えるようになっているので、病気と周辺視野に何か関係があるのだろうと言われている。

「類……」

理人は真っ青になって目の前にいる類に抱きついた。類が理人の身体を抱きしめ、憤ったように叫ぶ。

「何で！　何でだよ！　もう治ったんじゃないのかよ‼」

類の怒声に涙が滲み、理人は必死に類にしがみついた。恐怖と、不安と、絶望が一気に押し寄せた。何か言おうとしたのに、涙がぼろぼろこぼれて声にならない。本当にまた病気が発症するのか。先日の検査でも問題なかったのに。

「嫌だよ、嫌だ、兄貴、もう嫌だ!!」

きつく理人を掻き抱く類の声に、理人は何も答えられなかった。


両親が事情を知り、急いで帰宅した時、理人の視界は三分の一くらいまで狭まっていた。父も母も嘆き、理人を抱きしめる。類はずっと頭を抱えて座り込んでいて、一言も声を発さなかった。

すぐに病院に行こうという父母に、明日でいいと理人は答えた。

「病院行っても、薬があるわけじゃないしさ……」

自嘲気味に呟くと、二人とも声を殺して抱きしめ合う。

「きっとすぐまた目覚めるよ。皆そんな、暗くならないで」

自分よりよほど周囲の人間のほうが苦しそうで、理人はひたすら申し訳なくなった。特に類の絶望は深く、傍にいる理人のほうが落ち込んだ。

次に目覚める時はいつだろう。一カ月くらいで目覚められたら、受験もできるだろうか。大学へ行くつもりだったのに、無理かもしれないと思うのはひどくつらかった。それに友達やクラスメイト、教師にも迷惑をかける。

夜になって暗い部屋を見るのが嫌でベッドに横たわると、類が無言で近づいてきて隣に並んだ。長い腕に抱き寄せられ、身体を密着する。

「類……」

ショックを受けている類を慰めたくて、手探りで髪を撫でる。類の吐息がこぼれ、首筋に顔を埋めてくる。

「……俺のせい？」

類の苦しげな声が聞こえ、理人はどきりとした。

「俺のせいなんじゃないの……発症したの」

絶望的な口調で類に囁かれ、理人はぎゅっと背中に回した手に力を込めた。

「関係ないだろ。お前のせいじゃないよ。因果関係は分かってないし」

類に自責の念を持ってもらいたくなくて、理人は背中を軽く叩いた。ストレスが原因という学者もいるが、理人は信じていない。小さい頃の自分にそれほどストレスがあったとは思えないし、何よりも類に罪悪感を背負わせたくなかった。

「きっとすぐ起きるよ。ごめんな、類」

悲しそうな家族の顔を見たくなくて、理人はわざと明るい声を出した。今夜は眠りたくなかったので、ずっと類の背中を撫でていた。類も言葉は交わさなかったが、起きていた。

明け方うとうとして、朝の光の中、父母に起こされた。その頃にはもう自力で歩くのが困難なほど視界は悪くなっていた。

「嫌だなぁ。子どもみたい」

類に手を引かれながら歩き、理人は笑ってみせた。

父の車で病院に行き、医師の診察のもと、病気が発症したと告げられた。前回より進行が速いと言われ、そのまま入院するように指示された。がっくりと肩を落とす。

「完全に眠りにつくまで、家にいさせて下さい」

父が医師に頼み込み、理人はその日は家に帰れることになった。

気分は落ち込んだが、しばらく目覚めないならやっておくべきことはいくつもある。視界が悪くて友人へのメールは打てなかったので、類に伝言を託した。特に大地には借りっぱなしの漫画やCDがある。共通の友人への知らせや詫びを頼み、今夜は寿司が食べたいと母にねだった。ふだんは明るい母が暗くしているのは理人にとってつらいものだ。

そんなふうにその日を過ごし、翌日の昼過ぎ、理人はしゃべっている途中で、急に電池の切れたおもちゃのように動かなくなった——。

■5　五年後の世界

黒夢病を発症した後、目覚めた患者は、一様にいい夢を見たという感覚を持っている。けれどほとんどの人は夢の内容を覚えておらず、また脳波は昏睡状態に近いことから、夢を見ているはずがないというのが医師の見解だ。

理人も目を開ける寸前、とてもいい夢を見ていたという気持ちになった。よく覚えていないがとても綺麗な景色を大好きな人と見ていた気がする。

重い瞼を開けると、理人はその瞬間から見ていた夢の記憶を失っていった。視界に広がる景色のほうに意識を囚われたからだ。

（あれ、ここ、どこだろ）

ぼんやりとした頭で天井を見上げ、理人は物憂げに首を横に向けた。身体がひどく重く、まるで全身を縛り上げられているようだった。見慣れぬ天井、見慣れぬ部屋、理人は困惑して目を見開いた。

重くて身体が動かないが、視線を傾けると両腕にたくさんの管やコードがついている。ベッドの脇には心電図などのバイタルサインをモニタリングする機器が置かれ、点滴が今も理人の身体に注がれている。鼻にも何かついているようだ。

黒夢病を発症したのを思い出し、理人は部屋を確認した。いつもの病院の部屋とは少し雰囲気が違った。入院する時はたいてい四人部屋だし、衝立やカーテンで区切られた簡素な部屋だ。ところが目覚めると広い部屋には理人しか寝ておらず、窓際には観葉植物が置かれているし、壁紙も洒落た感じで、何より床は絨毯《じゅうたん》でふかふかしたようなものだ。個室に入れられたのだろうかと考え、理人はぐっと身体に力を入れた。やはり身体が重い。いつも目覚める時は弱った身体にがっくりするものだが、今回はいつにも増してひどい。手も足もぜんぜん持ち上がらない。しかも視界に入る自分の腕は骨と皮ばかりに痩せ細っている。一体どれくらいの月日が経ったのだろうと怖くなった。

ふいにドアが開き、青い半袖のニットに黒いズボンを穿いた中年女性が入ってきた。中年女性は理人と目が合うなり、持っていたカルテを床に落とした。

「まぁ！　まぁ！　目覚めたんですね！　理人さん!!」

中年女性はそう言うなり、ベッド際に駆け寄ってきた。見覚えのない顔だし、私服に見えるが、どうやら看護師らしい。理人の瞳孔やバイタルサインをモニターで急いでチェックして、顔をほころばせた。

「よかった！　何て素晴らしい日でしょう、すぐに小此木さんに連絡を入れますから」

中年女性は興奮を抑えきれない様子で壁際にある電話をとった。小此木さんということは家族を呼んでくれるのだろう。見知らぬ風景に見知らぬ人間が入ってきて焦ったが、家族が来てくれるなら安心だ。

「すぐ駆けつけるそうです」

受話器を置いた中年女性が、晴れやかな顔を見せた。理人は「あの」と声を出し、びっくりした。自分の声がかすれ、聞き取れないくらいだったからだ。声を出そうと思っても咽に力が入らず、空気を吐き出すような音しか出てこない。

「全身の筋肉が弱っているんです、無理をなさらず。私は看護師の新田《にった》です。初めましてですね。理人さんをお世話させていただいていました」

新田と名乗った中年女性は、優しく微笑みながら理人の身体をチェックしていった。しっかりした身体つきのベテランっぽい看護師だ。

「俺……」

かすれ声ながらも話しかけようとして、理人は荒々しく開いたドアに目を見開いた。ドアから入ってきたのは類だった。白い麻のシャツに黒のスキニーパンツという服装で、さらさらの髪をしていた。類を見た瞬間、自分はとんでもなく長く眠っていたのだと直感した。最後に見た時より、かなり成長している。身体つきがしっかりしているし、幼い雰囲気が微塵《みじん》もない。

「兄貴！　兄貴！」

類はベッド際に駆け寄って、大粒の涙をこぼした。震える手で理人の頬に触れ、そのまま膝から床に崩れる。

「信じてよかった、絶対目が覚めるって、神様、ありがとう」

類は涙交じりに声を震わせる。泣いている類に理人ももらい泣きして、手を伸ばそうとした。だが管が邪魔だし腕が重くて持ち上がらない。

「兄貴、もう五年も経ったんだよ」

類が涙を拭いながら言う。理人はその長すぎる年月に衝撃を受けた。これまで何度か発症したが、こんなに長い間意識が戻らなかったのは初めてだ。だから自分の腕はこんなに痩せ細り、身動きがとれないのか。むしろよく生きていたものだと感心する。五年も意識が戻らなければ、そのまま死んでいてもおかしくないのに。

「そう……か。そんなに……」

理人は悄然として呟いた。それにしても連絡を入れてから、類が来るまでが異常に早かった。近くにいたのだろうか？

「ここ……どこ？」

理人は弱々しい声で尋ねた。しゃべろうとしているうちに少しだけ発声できるようになった。ずいぶん長い間使われなかった機能なので、弱っているのだろう。

「病院じゃないよ。一年前に自宅で介護するって、兄貴を引き取ったんだ。医師にも知らせる。きっと喜ぶよ」

類は理人の髪を何度も撫で、嬉しそうに微笑む。類にはつらい年月を過ごさせてしまったと理人は申し訳なく思った。それにしても、自宅で介護なんて。

「ここ……自宅？」

違和感を覚えて理人は類を見つめた。理人の家にこんな部屋はなかった。それに開いている窓から見える景色がまったく知らないものだ。ビルが見えるし、高い場所らしく、空が近い。

「ああ……。話すことがたくさんあるな。実家はもうないんだ。三年前に道路拡張で立ち退き要求をされてね。本当は兄貴のために残しておきたかったんだけど……。ここは四谷《よつや》のマンション。今はこっちに住んでる。このフロアは全部俺のとこで押さえてて、仕事場兼住居にしているんだ」

次々と明かされる情報に理人はついていけず、面食らった。実家がもうないことはショックだが、それ以上に類が仕事について語ることが驚きだ。

「兄貴……俺たちもう、二十三歳だよ」

理人の呆然とする顔を見つめ、類が目を細める。二十三歳——改めて言われて、理人は言葉を失った。少し前まで受験について悩んでいたのに、いつの間にか成人して歳を重ねている。二十三歳ということは、類は大学を卒業して就職したのか。

「大学在中に起業して、今は自分のオフィスを持っている。モデルの仕事もまだ続けているよ。今は自分のブランドを作って売っている」

類に照れた表情で説明され、理人はぽかんとした。

「すごい……」

類はそれほどモデルの仕事に熱心というわけではなかったので、まだ続けていたのに驚いた。しかも自分のブランドを起ち上げたとか、尊敬の念しか湧かない。ひょっとして社長というやつなのか。だからマンションをフロアごと使うという技ができるのか。

「兄貴はとりあえず高校を卒業できたよ。ほとんど休まなかったから、ぎりぎり日数が足りてね」

類の手が理人の髪を弄ぶ。よく見ると自分の髪はずいぶん伸びている。似合わないロン毛になっているではないか。

「ともかく早く元気になって。俺を安心させてよ」

理人の手を取り、類が唇を押しつける。本当にその通りだと理人も頷いた。それにしても——。

「父さんとママは……?」

類の姿はあるが、二人はどこにいるのだろう。そんな素朴な疑問を抱いて、理人は類を見つめた。

サッと類の顔が青ざめ、唇を噛む。何かあったのかと理人は不安になった。

「……どうしたんだ?」

類がずっと黙り込んでいるので、理人はおそるおそる尋ねた。部屋はしんと静まり返り、鼓動が速まる。その時、気づいた。——類の心の声が、聞こえない。

「声……聞こえなくなった」

理人は困惑して瞬きした。類が驚いたように屈み込んでくる。

「俺の心の声、聞こえないの?」

試すように、類が額を近づけてくる。類は何か思っているようだが、何も響いてこない。あれほどなくなってほしいと願っていた力は消えたらしい。理由は分からないが、理人は頷いた。

「そう……」

類は言いよどむように目を逸らす。二人に何かあったのだと理人は察した。類は目覚めたばかりの自分に聞かせるのは酷だと思ったのか、押し黙ってしまう。

「教えて、類」

真実を知りたくて、理人はせっついた。類は悩んだ末に、ため息と共に口を開いた。

「二人は二年くらい前に、事故で亡くなった」

衝撃の事実を知らされ、理人は気づいたらぼろぼろと涙をこぼしていた。自分が寝ている間に、二人は亡くなっていたというのか。死に目にも会えず、ずっと心配をかけたまま、逝ってしまったのか。

「二人で旅行に出かけている時に、逆走してきた車と正面衝突してね。ごめん、兄貴。元気になってから教えるべきだった」

涙を流す理人の頬を拭い、類がつらそうに目を伏せる。

「ううん、ごめん。類、ごめん。お前ばかりつらい目に遭わせて」

理人は泣きじゃくりながら謝った。両親も亡くなって、唯一の家族である自分はずっと意識が戻らず、類には過酷な運命を背負わせてしまった。申し訳なくて理人が泣くと、類がハンカチで頬を拭ってくれる。今の自分は泣いただけで呼吸が乱れるような情けない有り様だ。

「戻ってきたから、もういいんだ。元気になったら、一緒にお墓参りしよう。きっと父さんとママは仲がよかったから、死ぬ時も一緒がよかったんだよ」

優しい声で類が理人を労わる。それまで後ろに控えていた新田が前に出てきて、理人の肺の辺りに聴診器を当てた。

「これからきっといいことがたくさんありますよ。まずはリハビリして、体力を戻さなければなりませんね」

新田は胸元に酸素マスクを置いて、笑顔で話しかけてくる。動けない自分を新田が面倒見てくれていたのだろう。理人は大きく頷いた。

二時間後には医師の佐久間がわざわざ検診に来てくれた。五年ぶりに会うせいか、佐久間は目尻にしわができて、全体的に中年男性になっていた。

「先生、老けたね……」

上半身を起こしてもらい、身体を診てもらう間、理人はしみじみと呟いた。佐久間はがくっとわざとらしく肩を落とし、皮肉げに笑った。

「そんな冗談言えるなら、大丈夫だね。うん、雑音もないし、身体の機能が回復しているようだ。できたら今夜からでも流動食を食べ始めてくれ。何よりまずは食べること。風に飛ばされそうな身体になっちゃったからね」

聴診器を当てていた佐久間が、にっこりと笑う。類は仕事を放り出してきたらしく、しばらく作業場に戻ると言って出ていった。類がいないのを見計らい、佐久間がこっそり打ち明ける。

「正直、君の弟さんには頭が下がるよ。君のために、全身全霊で尽くしてきた。この病気は指定病院に入院していたほうが国の補助金も出るのに、どうしても傍に置きたいって自宅に設備を整えてね。専属の看護師と理学療法士も雇っているし、すごいよ。正直僕はこのまま君が目覚めないんじゃないかと心配していたけど……こうして戻ってきた」

佐久間に肩を叩かれ、理人は類がどれほど自分のために骨を折ってきたのか知った。本当にこの恩に報いるにはどうすればいいのか分からない。今の自分にできることは、一日も早く自力で動けるようになる、それだけだ。

「あとね……真矢ちゃん、二年前に発症してね。まだ目覚めない」

理人はどきりとして胸を痛めた。真矢も発症してしまったのか。あれほど嫌がっていたのに。

「君が発症したって知らされた時は、泣きだしちゃってね。あの子も早く目覚めるといいんだけど」

佐久間の話に理人は重苦しい気持ちになった。真矢は佐久間の勤務する病院に入院しているそうだ。

五年という月日は想像以上に長かった。周囲の景色は一変して、自分だけが取り残された気分だ。高校生の時の友人も、理人のことなど忘れてしまったかもしれない。ずれた感覚を早く修正しなければならないと、理人は気持ちを新たにした。

体力を戻すためのリハビリが始まった。

食事は流動食から始め、少しずつ身体を動かすことを心がけた。しばらくは身体を起こすことすら困難で、補助なしでは身動きもとれない状態だった。早々に点滴や心電図の機器を外してもらい、身体中の機能を懸命に復活させた。とはいえ尿道カテーテルを外された後、何日も尿瓶を使っての排尿だったので、自尊心はぼろぼろになった。新田にはもう何も隠せない。

一週間も経つと、リハビリの甲斐あってミキサー食をとれるようになり、短時間ではあるが新田の手を借りて車椅子に乗れるようになった。最新式の車椅子を買おうとする類を止めるのが大変だった。すぐに自力で歩けるようになるからとレンタルのものにしてもらったのだ。

車椅子に乗って、類に押してもらいながら部屋を見て回った。理人がいるのは十三階で、同じフロアには四戸あり、それぞれ3ＬＤＫの間取りになっているらしい。理人のいた部屋を出ると大きなリビングがあり、対面式のキッチン、水回りなどがあった。もう一部屋は類の私室で、残りの部屋は物置らしい。同じフロアの残りの三戸はそれぞれ作業場、事務関係、撮影室と用途を分けていると類は言った。最初は隣が空いたので借り、次にまた同じフロアの部屋が空いたので借り、を繰り返し、同じフロアを占拠していったようだ。

「これから会うようになるだろうから紹介するね。俺のマネージャーと、秘書」

次の週になり類と一緒に朝食をとっている時、チャイムを鳴らしてきた二人の女性を類がリビングに招いた。類はきちんとした身なりだが、車椅子に乗った理人はスエット姿で、見知らぬ二人の女性の出現に動揺した。

「はじめまして。中野《なかの》と申します。お目覚めになられてよかった」

中野と名乗ったマネージャーは黒髪を後ろで束ねた気の強そうな三十代前半くらいの女性で、名刺を理人に差し出してきた。その目が痛々しそうに理人を見つめる。目覚めて二週間でまだ理人はガリガリに痩せているし、起きていられる時間もそう長くない。

「坂井《さかい》です。よろしくお願いします」

坂井は類の秘書をしている二十八歳のショートカットの綺麗な女性だった。類が手掛けているのはメンズファッションなのだが、それに似たシックな色合いのスーツを着ている。

「理人です。すみません、こんな状態で」

ろくに頭を下げることもできず、理人は弱々しい声を出した。

「いいえ、とんでもない。今日は挨拶だけですので。早く元気になって下さいね。きっと肉づきがよくなったら、可愛らしい方ですよね。類ってば、昔から絶対に理人君と会わせてくれなくて」

中野は意味ありげに類に視線を向ける。

「あ、もしかして中野さんはずっと類の……？」

理人が頬を弛ませると、中野が頷く。類はスカウトされた芸能事務所のままで、マネージャーもずっと中野が務めているらしい。といっても中野は類の専属マネージャーというわけではなく、数人抱えているそうだ。

「だって類と双子でしょ？　そんなの絶対見た目がいいに決まってるじゃないですか。だから昔から紹介してくれって頼んでいるのに、頑なに拒まれ」

中野は類と気安い仲らしく、親しげに笑っている。

「兄貴は駄目だよ。芸能界とか絶対に駄目。向いてない」

類はにっこり笑いながら冷酷に告げる。自分でもそう思っているが、類にきっぱり言われると少々傷つく。確かにカメラの前で笑い続ける器用さは、理人にはない。

「さ、紹介は終わったからもう行って。兄貴が疲れるだろ」

類は二人を玄関に追い払う。

「社長、午後は木島《きじま》さんと打ち合わせが入っておりますが、撮影室のほうでいいですか？」

坂井は類に背中を押されながら、今日の予定を確認している。双子の弟が社長と呼ばれているのは不思議な気分だ。まだ二十三歳なのに、類はすごい。大人の顔をして坂井と仕事の話をしている。坂井のほうは分からないが、中野はしゃべりやすそうな雰囲気だった。理人が知らない類の話を今度聞いてみたい。

「兄貴、もう少し食べられる？」

戻ってきた類は、テーブルの上の朝食が減っていないのを気遣っている。今朝は類がリゾットを作ってくれた。細かく刻んだサラダにホットミルクつきで、とても美味しいのだが、半分くらいでお腹がいっぱいになってしまった。ずっと口から食べない生活で鼻からチューブを入れて栄養剤や流動食をとっていたので、胃が小さくなっているのだろう。

「後で少しずつ食べてもいいかな。それにしても類、いつの間に料理なんて？　洗濯とか掃除とか、前はぜんぜんだったろ？」

　理人は部屋を見回して、感嘆の息をこぼした。高校生の頃は理人と同じく、洗濯機の使い方すら知らなかったはずだ。母が料理好きだったので手伝ったことなどなかったし、たまに留守にする時もコンビニ弁当か出前をとっていた。

「料理はやってみると意外と楽しいよ。掃除なんて、ロボがやってるし、洗濯なんてボタン一つでできる」

　類は事もなげに言う。五年の間に家電はめまぐるしく進化していて、理人は浦島太郎の気分を味わっていた。

「ちょっと疲れた？　休む？」

　理人が眠そうな目をすると、類が顔を覗き込んでくる。朝食の前に類に手伝ってもらって身体を少し動かしたので、眠気がやってきた。今の理人はちょっと動くだけですぐ疲れてしまう。昼過ぎには新田が来てまたリハビリに励むので、その前に少し眠りたかった。

「ん……」

　理人が頷くと、類が立ち上がって理人の前に膝を折る。

「連れていくよ」

　類に腕を引かれて、細い腕を類の首に回す。類は理人の身体を横抱きに抱え、車椅子から持ち上げる。そのままベッドが置かれている部屋に、類に抱えてもらい移動した。高校生の時と違うのは、類の胸板の厚さだ。ジムに通っていると言っていたが、昔とは比べ物にならないくらいしっかりした身体つきになっていて、別人みたいでドキドキする。

「身体、鍛えてるの？」

素朴な疑問を抱いて、類の胸にもたれかかりながら聞くと、小さく笑われた。

「高校の時は、モデル業、適当にやってたんだけどさ。これじゃ駄目だって思い直して、体幹鍛え直してる。兄貴を守らなきゃいけないしね」

何気ない口調で言われ、胸がずきりと痛んだ。兄なのに、弟に守られて情けない。けれど実際のところ、類に守ってもらわなければ生きていけない状態だ。

医療用ベッドが置いてある部屋に入り、類はベッドの上にそっと理人を下ろした。類の顔が近くに来て、吐息が触れ合う。ふと、キスされるのだろうかと思ったが、類はすっと身を離した。

「何かあったら呼んでね」

理人に毛布を掛け、類が部屋から出ていく。

部屋に一人きりになり、もやもやした思いを抱えた。理人はふーっと息をこぼした。キス……しなかった。理人は天井を見上げ、もやもやした思いを抱えた。五年の月日が経っているが、理人にとって類に抱かれたのはほんの数日前の出来事だ。類の怖いほどの想いを知り、流されるように身体を繋げた。

現在の類は、理人をどう思っているのだろうか？　目覚めてから類のあまりの変わりように、理人は正直寂しさを抱えていた。おやすみのキスもなくなったし、類が見知らぬ大人に見えるし、とても双子の兄弟と思えない。両親が亡くなっていた件も含め、類は理人が知らない場所で多く傷ついてきた。そんな類が望むなら理人は類の気持ちに応えたいと思ったが、どうやらそれは思い違いだったようだ。

（そうかー。五年も経ってるもんな……。類だって、俺じゃなくて外に目を向けるよな。あの頃はまだ高校生で子どもだったし……）

もやもやしてしまうのは、きっと類の心の声が聞こえなくなったからだ。昔は類の声に否応なくさらされていたが、今は静かなものだ。類はただの兄弟思いの弟にしか見えないし、変な勘違いをしている自分のほうが痛い奴だ。

（よかったじゃないか。類がまともな道に戻って。俺はそれを望んでいたんだろ？）

自分にそう言い聞かせ、理人は目を閉じた。それにしても、どうして類の心の声が聞こえなくなったのだろう？

（考えてみたら……類の心の声が聞こえ始めたのって、最初に発病して目覚めた後なんだよな。病気が関係してるのかも？）

原因は不明だが、類の心の声が聞こえなくなって、物足りなさや不安を感じているのは確かだった。昔はあふれるほどの類の愛情を聞かされていた。困ると思いつつ、自分はひそかに喜んでいたのかもしれない。類が自分に執着していることを。

（俺ってサイテーじゃん。っていうか、今の俺、骸骨みたいで、キスする気分になれっこないわ）

もやもやした気分を振り払おうと、理人は髪を掻いた。類に頼んで髪を切ってもらおうか。たまに鏡で顔をチェックするのだが、髪が長くて女の子っぽく見える。痩せすぎたせいで目がぎょろっとしているし、早く元気にならなければ。

考えるのをやめて、理人は身体を休めた。新田が昼過ぎに来るので、今日もリハビリに励もう。そう思いつつ浅い眠りを貪った。

「兄貴、街に出てみる？」

翌週、体重が二キロ増えたのを確認して、類がそう言い、車椅子に乗った理人を外に連れ出した。理人の今の体重は三十キロにわずかに足りないくらいで、風が吹けば飛ばされる細さだ。それでも順調に体重が増えているのを類は喜んでくれた。

四谷はあまり馴染みがなく、何を見ても初めての感覚だ。とはいえ、意識を失う前は十一月だったのに、今は四月だ。桜が五分咲きで、迎賓館の近くの四谷見附《みつけ》公園に連れてきてもらうと、すっかり春という装いだった。

「屋台が出てる。兄貴、何か少しだけ食べる？」

公園の敷地を車椅子で移動していると、類が尋ねてくる。見るとクレープ屋があり、無性に食べたくなった。

「クレープだろ？　兄貴はチョコバナナだよね」

類が屈み込んで笑う。

「そういうお前は辛いもの……って、今はどうなんだ？」

昔はカレーパンばかり食べていた類だが、五年も経てば味覚も変わるかもしれない。理人が顔を上げて聞くと、「カレーパンは極みの傾向にある」と真面目な顔で述べる。笑い合っていると、横から二人連れの若い女性が近づいてきた。

「あの！　ルイさんですよね⁉　私ファンなんです！　握手して下さい！」

黄色い声を上げながら若い女性が類に迫ってくる。一般人にも知られているのかと理人が感心していると、類は苦笑して差し出された手を軽く握った。

「ごめんね、今はプライベートだから遠慮して」

柔らかい口調ながら類が手を離すと、隣にいた女性が「馬鹿、気を遣いなよ！」と理人を見て叱る。類のファンと言った若い女性も、類が車椅子を押しているのに気づき、焦った様子で何度も頭を下げて離れていった。理人は一連の様子を見て、驚いていた。あの類が——まともな対応をしている。

「すごいな、お前。昔はああいうの、冷たくあしらってたのに」

高校生の頃も、同じ学校や他校の子に声をかけられることはあったが、「邪魔」とか「面倒」とか素っ気ない口調で断っていたのだ。

「今の時代は気を遣わないとやってけないんだよ。ＳＮＳで瞬く間に広がっちゃうからね。一応、俺、社員抱えてるし」

冗談めいた言い方をしているが、類が大人になったのは確かだ。他人との調和を心がけるなんて、感慨深い。

車椅子を木の近くに停め、類が買ってきてくれたクレープを食べた。小さいサイズのペットボトルのお茶も蓋を開けて渡してくれる。今の理人は握力がほとんどなく、ペットボトルの蓋さえ開けられず普通サイズのボトルを長時間持ち続けるのもつらい始末なのだ。類はクレープを頬張っている理人を嬉しそうに見ている。外に出るのは気分が晴れていいが、思ったよりも人目を引くのは慣れないものだった。

（俺、多分、重い病気だと思われてるな）

車椅子に乗った痩せ細った少年を、すれ違う人は同情めいた眼差しで見てくる。類は別の意味で目立つし、人の多い場所は周囲の目が気になる。

「兄貴、どこか行きたいところある？」

類が屈み込んで聞く。近くにいた中年男性が、不可解な表情でこちらを見ている。どう見ても年上の類が幼い容姿の理人を兄貴と呼んだからだろう。

「あのさ……。もう兄貴って呼ぶのやめない？」

クレープの中に入っていたバナナを咀嚼し、理人は小声で言った。

「え？　何で。兄貴は兄貴だろ」

類は意味が分からないと言いたげだ。

「お前が兄貴と呼ぶと、変な目で見られるんだよ。そもそも生まれたの五分くらいしか違わないしさ。理人って名前で呼べばいいじゃん」

もぐもぐと頬張りながら言うと、類が考え込み始めた。

「理人……」

ぼそりと類が呟く。

「うんうん」

理人が頷くと、類が眉根を寄せる。

「名前で呼ぶと何か……いや、何でもない。……じゃあ、これからは理人って呼ぶよ。それでいい？」

考え込んだ末に類が言う。それでいいと理人も頷いた。

「あのさ、行きたいところっていうか、家帰ったら髪、切ってくんない？　長いの鬱陶《うっとう》しい」

クレープを食べ終えて、理人は自分の長い髪を手に取った。

「え、俺が切るの？　待ってよ、知り合いに美容室やってる奴いるから、頼んでみるよ」

類はすぐさまスマホを取り出して、どこかにかけてしまう。そんなプロの手をわずらわせるつもりはなかったので、理人は失敗したと顔を顰めた。車椅子で入れる美容室はあるのだろうか。それに理人は財布もない。この調子だと類が支払いしそうでもやもやした。類は電話相手と親しげに話している。電話中を邪魔できないので、お茶を飲んで待った。

「明日なら空いてるって。そうだ、その前に兄貴の……理人のスマホの機種変しない？　五年前のだから、古くなってる」

類はバッグから理人が高校生の時に使っていたスマホを取り出した。久しぶりに自分のスマホと対面して、死ぬほど驚いた。何がというと、電源をつけると、ちゃんと起動して通信できたからだ。

「えっ⁉　これ、何で使えるの⁉　まさか、類、お前通信費払ってたの⁉」

メールも読めるし、ゲームもできる。五年の間にサービス終了してしまったものは多いが、それでも使えることに唖然とした。

「基本料金だけだったし」

何でもないことのように類は言うが、理人には信じられない。

「五年も⁉」

五年の間、無駄な通信費を払い続けていたのかと思うと、胃が痛くなってきた。我が弟の金銭感覚はどうなっているのだろう。ふつう、どこかで見切りをつけるものじゃないのか。

「機種変はいいとして、俺財布ないし、そもそもお金が……」

病気の間、友人から送られてきていたメールを確認し、理人は困惑した。類は車椅子を押して、スマホを買いに行く気満々だ。

「お金の心配ならいいよ。俺がプレゼントするし。あと、兄……理人の通帳も預かってるよ。両親が亡くなって、二人の遺産が入ってきたから半分入れてある。家、売った金も半分入れた。ついでに理人が寝ている間に資産運用して増やしておいたから、しばらく何もしないでも暮らせると思う」

歩道を歩きながら類が事もなげに言う。理人はひたすら絶句していた。ほんの少し前まで高校生だった理人にはついていけない話だ。高校生だった頃はバイト代やお小遣いで通帳に二十万円くらいはあったが、病気になったし、自分のお金はないものと思っていた。

「俺なんかのこと、考えないでよかったのに。入院費とかいろいろかかってるだろ？　看護師さん雇ってるし、金食い虫だよ」

困惑しつつ理人が顔を向けると、類が微笑む。

「それは俺の好きでやってたことだから。あそこの物件だって俺が好きで買ったもんだし。理人は心配しないでいいよ。経営は順調だし、金には困ってない」

さらりと言ってのける類に、理人はもう何も言えなくなった。いい奴、と一言ですますには、理解できないほど類は器がでかくなっている。類はかなりのやり手なのだろうか？　五年の間に何が起きたか知らないが、太刀打ちできないほどすごくなっている。

駅の近くの家電販売店に行くと、理人は勧められるままに類と同じ機種のスマホを選んだ。手続きをすませ、データを移行し、新しいスマホを手に入れる。さすがに通信費は自分の通帳から引き落とされるようにしてもらったが、うっかりすると何もかも類の支払いになりそうで怖くなった。

「いらっしゃい」

類が次の日に理人を連れてきたのは新宿《しんじゅく》にあるお洒落な美容室だった。眼鏡に顎髭の業界人みたいな男が、類と親しげにハグをする。車椅子でも入れるくらい大きな美容室で、類が知り合いだといったのはこの店の店長らしい。

「理人のこと、よろしく。ちょっと出てていい？　終わったら電話して」

類は店長に話をつけた後、所用をすませてくると美容室を出ていった。一人にされて緊張したが、店長がにこにこと話しかけてくれた。

「はじめまして。よろしくお願いします。七井《なない》です」

七井と名乗った店長は、奥まった場所にある空間に車椅子ごと理人を連れていく。この店では車椅子の人も気軽に髪を切りに来られるように工夫がしてあった。散髪やブローなどは車椅子のままできるようにしてある。

「ずいぶん伸びてますね。どれくらい切ります？」

大きな鏡の前に車椅子を設置され、七井が聞く。理人はうなじが見えるようにと口で説明した。

「ルイ君と似てますね。兄弟……とか？」

鋏《はさみ》を入れながら七井が話しかけてくる。ええまぁと曖昧に頷き、理人は自分の痩せ細った姿から目を逸らした。手っ取り早く太る方法があればいいのに。

「七井さんは類の……？」

友達というには歳が離れているだろうかと躊躇していると、類とはモデルの仕事関係で知り合ったと教えてくれた。七井は以前、雑誌に載るようなモデルたちのヘアメイクを手掛けていたようだ。今は障害者も利用しやすい美容室というコンセプトで店舗を広げているらしい。

「ルイ君が宣伝してくれるから、若い子も利用してくれてね。助かってますよ。若いのに、彼、しっかりしてるっていうか。あ、ルイ君の出てる雑誌見ます？」

七井が奥から数冊の雑誌を持ってきてくれる。たかが雑誌一つを手元に寄せるだけでも一苦労だ。最近の雑誌はでかくて分厚くて困る。

（え、こんなすごいんだ？）

メンズファッション系の雑誌を開くと、前のほうに類のページがたくさんあった。ブランド物の服を着こなし、見知らぬ大人びた表情でポーズを取っている。高校生の頃は類が載っていた雑誌を全部チェックしていたが、あの頃とは求められるものがぜんぜん違っていてびっくりした。どちらかというと昔はチャラい感じの服装が多かったのだが、今はしっかりとスーツを着こなし、他のモデルに負けていない。

（かっこいい……っ。なんか……もう……未来の自分じゃなくなっている）

類の華々しい活躍を目の当たりにして、理人はふっと虚しいものを感じた。高校生だった頃は、まだ成長期だったし、背が高くてかっこいい類を見ても嫉妬はしなかった。いずれなる未来の自分の姿だと思っていたからだ。本当なら、病気をしていなかったら、理人だって瓜二つの容姿になっていたはずだから。

けれど今は、自分はこんな姿になることはないんだと、諦めの境地にいた。二十三歳になってしまった自分の成長期は終わってしまっただろう。類のように背が伸びることも、華やかな容姿をもつことも、きっとない。そう思うと、虚しさとやるせなさ、そして類に対する羨望の思いで胸がいっぱいになった。

(双子とは思えないよなぁ……。類はすごいよ。モデル勧めてよかったな)

悲しい気持ちと誇らしい気持ちがまぜこぜになって、理人は感慨深い思いで雑誌を閉じた。

散髪を終えて、シャンプー台に移動して髪を丁寧に洗ってもらった。シャンプー台へ車椅子からの移乗も、慣れたスタッフがやってくれる。こういう美容室があると便利なものだと理人は感激した。

「さっぱりしましたね」

綺麗に髪を整えられ、七井が鏡を近くに持ってきて後ろまで見せてくれる。ちょうど類が用事をすませて戻ってきて、髪を切った理人に近づいた。鏡越しに目が合うと、類が一瞬動揺したように目元に手を当てた。

「やばい。兄貴の昔の面影が出てきて、泣きそう」

類がかすれた声で言い、七井が「兄貴?」と面食らった様子になる。そこは名前で呼んでほしかった。

「七井さん、ありがとう。また利用させてもらうから」

類は支払いをすませ、七井と仲良く話している。類はこういう人ともつき合いを広げてきたのだなぁと理人は感慨深く思った。目覚めてからこっち、類には驚かされてばかりだ。

「髪が短いと、首の細さが目立つなぁ」

帰り道に笑いながら言うと、類がバッグからショールを取り出して理人の首にぐるぐる巻き始めた。四次元ポケットかよと突っ込み、理人は暮れてゆく空の下を類と帰った。

■6　失ったもの

五月になり、体重も三十キロを超えて、どうにか人間に見える体形になってきた。三十キロを越えたら歩行訓練をしましょうと新田に言われていたので、理人は自分の体重が増えてかなり意気込んでいた。

車椅子での自走も大変だけど、特にトイレやベッドに車椅子から自立で移動するのがとても困難だ。他人の手を借りずにベッドに横になったりトイレに行くためにも、歩行訓練をがんばろうと思った。

「ゆっくりでいいですよ、無理しないで下さいね」

歩行器を使って室内を動く練習から始めたのだが、最初は立つだけでもかなり難しくて、筋力がぜんぜんなくなっているのを思い知らされた。車輪がついている形の歩行器だったので、力がなくても前に進んでしまい、勢いがつくとそのまま床に倒れそうになる。新田が常に補助してくれるから安全だが、この調子では歩行器なしで歩ける日は遠い。

「理人、おじいちゃんとおばあちゃんが来日するって」

歩行訓練をしていた理人に類が顔をほころばせて知らせに来てくれた。理人の父方の祖父母はすでに亡くなっているので、来てくれるのは母方の祖父母だ。

「えっ、ホント？　いつ？」

歩行器にしがみついているのがつらくなり、理人は類の手を借りてベッドに戻った。新田が休憩にしましょうと気を利かせてくれる。

「理人が目覚めた時、電話したら、すぐにでも行きたいって言ってたけど、寝たきりの理人は見られたくないかなと思って。歩行訓練始めた時にそろそろ大丈夫って連絡したんだ。明後日の便で来るって」

類は理人の隣に腰を下ろし、息を切らしている理人の前髪を掻き上げる。

「ありがとう。寝たきりは見られたくなかったから、助かった。よし、せめて立てるくらいにはなるぞ」

理人が意気込んで言うと、「理人が立った？」とからかわれる。

「……理人、おじいちゃんたちが来たら、一緒にお墓参り行こう」

類のまつげが揺れて、思い切ったように言われる。理人はどきりとして、唇を結んだ。両親が亡くなったと聞かされてから、いつか行かなければならないと分かっていたが、自分自身の状態を回復させることが精一杯で頭の隅に追いやっていた。だがそろそろ向き合わなければならないだろう。

「うん……分かった」

理人が肩を落として言うと、類が背中に腕を回してくる。お墓参りをしたら、本当に父母が死んだのを認めるみたいで、嫌だったのだ。自分の精神がいかに幼いか再確認し、情けなくなった。類はしっかりと自立しているのに、自分は未だお荷物のままだ。

「おじいちゃんたち、老けたかなぁ？　お前、会ってたの？」

気を取り直して聞くと、類が軽く首をすくめる。

「会ったのは一年前が最後かな。クリスマスカードや誕生日カードは毎年贈ってきてくれるよ。たまに電話もくれる。おじいちゃんは糖尿病で、おばあちゃんは最近物忘れがひどいってこぼしてたな。二人とも元気だよ」

類は思い出したように部屋を飛び出し、茶封筒を持って戻ってきた。

「これ理人宛ての分」

律儀な祖父母は理人のために毎年カードを贈っていたらしい。クリスマスカードや誕生日カードには愛にあふれた言葉と早く目覚めますようにという願いが綴《つづ》られている。類と一緒にカードを見ていると、新田が部屋に入ってきて「類さん、秘書さんが戻ってきてくれって」と声をかける。どうやら仕事の途中で類はここへ来たらしい。類に礼を言い、カードを枕元に飾った。

「秘書さんに理人さんの健康状態を聞かれたんですけど、話してよかったですか？」

休憩を終えて再び歩行器に摑まって立つ訓練をしていると、気になったそぶりで新田に聞かれた。

「別にいいけど。何で？」

理人は坂井の綺麗な顔立ちを思い出し、首をかしげた。理人の様子を気にしてくれているのだろうか。

「私が思うに、秘書さんは類さんに惚れてますね。好きな人の身内だから気になるんじゃないですか？」

新田はこっそりと理人に打ち明ける。どきりとして理人は目を見開いた。あの綺麗な人なら類とお似合いだとは思うが……。

「つき合ってるの？　二人」

気になって尋ねると、新田はうーんと苦笑する。

「私の見たところ、類さんは気がないご様子ですよ。芸能事務所に所属しているし、その辺はきっちりしてるのかもしれませんね。特別な人はいない感じがします」

類に恋人がいないと知り、ホッとしてしまった。本来なら恋人がいるのを願うべきなのだろうが、そうなったらますます類が遠く感じられてしまう。

（あー何か、嫌な気分。俺、こんな性格悪かったっけ？）

弟の幸せを祈れない卑小な自分に嫌気が差し、類の人間関係に関しては考えないように努めた。

休憩を挟みつつ歩行訓練に勤しみ、四時になると新田の手を借りて風呂に入った。もはや新田の前では裸でも何とも思わなくなっている。車椅子になってから腕の力が少しずつ戻ってきたので、なるべく身体を洗ったり、髪を洗ったりということは自分でやるようにしている。それでも補助の手を借りないと風呂に浸かることもできないので、自立はまだまだ先だ。

五時過ぎに新田が帰ると、理人はスエット姿で車椅子に座って新聞や雑誌を読む。五年の空白の間に起きた出来事を知りたくて、スマホで過去の事件や大きな出来事を検索したりもする。理人が好きだった歌手が過去の人となっていたり、楽しみにしていたゲームがすでに三作目だったり、いろいろ追いつかなくて大変だ。

（そうだ、類を検索してみようかな）

ふと思いついてスマホで類について調べると、思った以上に検索結果が出てきてびっくりした。知らぬ間に有名アーティストのＭＶに出ていたり、ＣＭに出ていたりしていたようで、ユーチューブに過去の映像が残っていた。

（すごいなー。もう芸能人じゃん）

テレビは仕事関係の番組しか出ていないが、パリコレに出た日本人モデルとして一時期注目を浴びたようで、ファンになった子のアップした映像がいくつもあった。その中の一つに悲劇のプリンスというタイトルで類に関する記事があり、思わず目を奪われた。記事には類の両親が亡くなり、唯一の家族も病気で寝たきりと書かれている。類のコメントなどは一切なかったので、この記事を書いた記者が独自に調べたのだろう。

（ホント類って壮絶な人生だよな）

他人事みたいにそう感じ、理人は目が疲れてスマホを置いた。

頼る者もない状況で起業し、こんなにしっかりと生きている。もちろん病気で意識を失っていた理人自身も楽な人生というわけではないが、この病気は幸いなことに痛みはほとんどなく、気づいたら時間が過ぎ去っているというだけのものだ。不思議なことに黒夢病を発症している間は、老いとは無関係の身体になる。きっとつらいのは家族のほうで、患者自体は目覚めてからは回復する一方なので、絶望を抱える期間が少ない。

（俺がいない間、類は何を考えていたんだろうなぁ。俺がいなければ、タワマンとか住めたんじゃないのか？　多分、相当金かかってるよな）

そう考えて、こんなことを口にしたら類に怒られるなと自重した。いつか類へ恩返ししたいものだと思い、理人はため息をこぼした。

祖父母が来日する日は類も休みを取り、一緒に空港へ迎えに行くことにした。類は今日のために福祉車両をレンタルしていて、理人は車椅子のままスロープを使って車に乗り込めるようになっている。

「あーあ。歩くまでは無理だったなぁ」

空港までの道すがら、理人が残念そうに呟くと、ハンドルを握っている類がミラー越しに笑った。

「そんなに焦ることないだろ。車椅子の操作は上手くなったんだし」

車を運転する類は、サングラスをかけている。後部席からそれを見ていると、かっこよいなぁと羨ましくなった。イケメンでモデルをしていて社長で、頼りがいもある。自分が女だったら間違いなく惚れている。

「それよりフランス語、覚えてる？」

類がフランス語で話しかけてくる。

「当たり前だろ。俺にとっては、つい最近おばあちゃんと話したような感じだよ」

理人はにやりと笑ってフランス語で答えた。言った後で、しまったと口を押さえ、顔を逸らす。祖母と電話で話したのは、類と一線を越えた日なのだ。ひょっとして類を刺激してしまったかと心配したが、類はよく覚えていなかったようで首をひねっている。

「そうだったっけ？」

類は青信号になり、アクセルを踏む。理人には少し前のことだが、類にとっては五年以上前の出来事だ。忘れているのか。ホッとすると同時に寂しくなって、理人は首元を掻いた。類は個人的に理人に着せたいと思っていた服を作っていて、今日はその中の一着を身にまとっていた。出かけない日はほぼスエットで過ごしていたので、きちんとした服装をするのが久しぶりだ。

「それにしてもすごいよな。お前、いつからミシン使えるようになったの？」

理人が着ているのは白のシャツで、襟元と胸ポケット、袖口がタータンチェックになっている。サイズが少し緩めなのは、理人が痩せてしまったせいだろう。ズボンは紺色のチノパンで、類がデザインしているので、センスがいい。革靴はいつの間にか理人のサイズで何足か用意されていて、遠慮なく履かせてもらった。

「学生時代に服に興味が湧いてきて、最初はデザインだけだったんだけど、そのうち自分で作ってみたくなってさ。もちろん仕事用の服はプロに縫製を頼んでるよ。俺が作るのは理人と友人の分くらい」

さらりと類に言われ、どこまでもイケてる弟だとしみじみ感じた。もともと器用なのだ。同じ双子なのに、理人にはそんな才能はない。

「歩けるようになったら、仕事場見てもいい？」

ふと思い立って聞いてみると、笑顔でいいよと軽く言われた。

「別に今でもいいけど」

「いや、作業場とかに車椅子で入るの、申し訳ないじゃん」

理人はあまり外に出ないので分からないが、類の様子からすると、作業場や撮影室に使っている部屋は、昼夜関係なく人がいるようなのだ。類の邪魔はしたくないので、そこは頑なに断っておいた。

祖父母の乗った飛行機が着陸する時間から成田空港《なりたくうこう》の国際線到着ロビーで待っていると、四十分ほど過ぎた頃、懐かしい祖母の声が聞こえてきた。

「ルイ、リヒト！　私の天使たち」

スーツケースを引きずってきた祖母が、会うたびに口にする台詞を言う。祖母は孫を天使と言って憚《はばか》らない。日本語で言われると恥ずかしいが、フランス語でアンジュと言われるとまぁいいかと思える不思議だ。

「おばあちゃん、おじいちゃん」

駆け寄ってきた祖母に理人が手を振ると、涙ぐんで頭を抱えられた。車椅子に座っているので、ちょうど祖母の胸辺りに抱え込まれる。祖母は白に近い金色の髪を綺麗にまとめ、ピンク色のワンピースを着ていた。遅れて駆けつけた祖父は、洒落た帽子に三つ揃いで決めている。

「ああ、本当によかった。眠りすぎよ、あなた。よかったわね、ルイ」

祖母は理人の両頬に熱いキスをして、横で微笑んでいた類にハグをする。ついで祖父が理人を抱きしめ、頬にキスをした。

「身体はどうなんだ？　こんなに痩せてしまって」

祖父に憐れんだ眼差しで見られ、これでも肉がついたほうなのにと理人は苦笑した。

「まぁ、ゆっくり戻すよ。早く自力で歩けるようになりたいしね」

祖父の手で頭を撫でられ、理人は明るく笑った。祖父母はしわが増え、以前よりも全体的に老いた。それでもお洒落なところとか柔らかい雰囲気は変わっていない。

「機内で何か食べた？　空港で食事してから、お墓参りに行く？」

類に聞かれ、祖父母がお腹は大丈夫と答えた。

空港の駐車場に停めていた車に乗り込み、理人たちはそのまま墓参りへ行くことにした。途中の花屋でお供え花を買い込み、類の運転で都内の墓地に向かう。理人は祖母や祖父に五年の間にどうしていたか聞き、大げさに笑ったり、頷いたりした。時々ちらりと類が気遣うような目を向けてきたが、何を気遣われているかよく分からず、笑顔を向けておいた。

空港から二時間かけて、理人たちは墓地に着いた。ここは代々小此木家が所有する墓だ。お彼岸の時期に両親と一緒に墓参りしていた。

祖母に車椅子を押してもらいながら寺の境内に入ると、理人は自分が息苦しくなっているのに気づいた。

(え、何これ。何かの発作?)

胸が苦しくて、血の気が引いていく。手には汗を掻いているし、小刻みに震えている。視線の先には類が僧侶から線香を分けてもらっている姿が入る。祖父は柄杓《ひしゃく》の入っている木桶に水を溜め、汗を拭う。手に汗を掻いているのは、暑いせいかもしれない。そう思い、無理に深呼吸してみた。

息苦しさは続いている。

「……理人、大丈夫?」

戻ってきた類が、また気遣うような視線を理人に向ける。

「大丈夫だよ」

ぎこちなく微笑み、理人は手を握った。祖母はすでにこの墓地に来たことがあるようで、まっすぐに父母の眠る墓へ車椅子を押す。

久しぶりに小此木家の墓の前に来て、理人は自分の鼓動が速くなっているのに気づいた。類が花を供え、祖父母が水を墓石にかける。日本流のやり方を二人ともちゃんと知っていて、線香の煙を見つめながら手を合わせている。

車椅子だったので理人は水をかけるのが難しく、自分も手を合わせようとのろのろと手を上げた。すると類がすっと目の前にしゃがみ込み、理人の頬に手を当てる。

「理人、ここには身内しかいないんだから、泣いていいんだよ」

類の優しい声と温かい手のひらの感触に、ぶわっと涙が盛り上がった。先ほどから感じていた息苦しさは、亡くなった両親への思いが昂っていたせいだった。理人は顔を覆って泣きだし、類に肩を撫でられた。祖父母ももらい泣きして、ハンカチを取り出している。

お墓を前にしたら、本当に両親は死んでしまったのだと納得してしまったのだ。自分のことでいっぱいいっぱいだったので、亡くなった両親について考えなくてすんでいた。けれどこうして目の前に事実があると、嫌でも向き合わなければならなくなる。

「ご……ごめ……」

類が渡してくれたハンカチで顔を拭き、理人は胸を上下させた。泣くと、胸の中に溜まっていたどろどろとしたものが少し消えていくようだった。

「リヒトは初めてだったのね」

祖母が悲しそうに目を伏せる。

「シェリーも目覚めないあなたを残して逝くのはつらかったでしょう。シェリー、リヒトは元気になったわよ」

祖母は涙を拭ってお墓に話しかけている。墓前には白い薔薇《ばら》が供えられている。母の好きだった薔薇を供えたいと祖母が言ったからだ。

「本当に親より先に死ぬなんて親不孝な娘だ。だが、とても幸せだった。それは間違いない」

祖父も帽子を胸に当て、穏やかに言う。

「私らの楽しみはもう、お前たちだけになってしまった。二人の分まで長生きしておくれ」

祖父にしみじみと言われ、理人は潤んだ目で見つめ返した。

墓前でしばらく話した後、理人たちは寺を後にした。車に乗る前に類に「俺がおかしいの、分かってたの？」と聞くと、当たり前だろと苦笑された。

「今日ずっと、しゃべりすぎてた。理人はつらいことがあると、逆に明るく振る舞うから」

類に何でもないことのように言われ、朝から理人の思い煩いに気づかれていたのを知った。自分自身でさえ分かっていなかったのに、どうして類には分かるのだろうか。

双子って不思議だなぁと思いつつ、理人は類がいてよかったと内心呟いた。

祖父母がいる間は新田に休みをとってもらい、終日二人と過ごした。類が手が空いている時には、一緒に観光に行き、祖父母の好きな浅草《あさくさ》巡りや相撲観戦をした。

祖父母が来日している四日の間は、撮影室に使っている部屋をゲストルームにして利用してもらっている。撮影用に使っているので、ベッドやベッド回りもホテル並みに綺麗なのだ。浴室もある

し、快適だと祖母はご満悦だ。

一方で理人は少し困っていることがあった。新田がいないので、風呂に入っていない。二日目までは濡れタオルで身体を拭いてやり過ごしたが、さすがに髪の毛を洗いたい。そう思っていた矢先、類が気づいて声をかけてきた。

「ごめん、お風呂に入りたいよね？　俺でよければ手を貸すけど」

風呂はずっと新田に任せていたので、類もすっかり忘れていたようだ。

「お願いしていいかな」

理人が手を合わせると、すぐに湯を張ってくれた。車椅子に乗ったまま、脱衣所で衣服を脱ぐ。上に着ているものはスムーズに脱げるのだが、腰から下を脱ぐのが非常に困難だ。新田だと阿吽《あうん》の呼吸でズボンを引っ張ってくれるのだが、類ではそうもいかない。そもそも、類の前で裸になるのが少し恥ずかしかった。

（類は俺の裸を見て、何か思うところはあるのだろうか）

一線を越えた記憶が蘇り、理人は我知らずドキドキした。あの時のように、身体を洗われるのだろうか。あれこれと思いが駆け巡り、理人は下着を脱ぐのに緊張した。

「抱き上げるよ」

類は理人の緊張を知ってか知らでか、あっさりとした様子で裸の理人を担ぎ上げた。新田だと肩を貸してもらうだけなので、ちょっとびっくりした。

「身体、洗おうか？」

風呂椅子に下ろされて、類に聞かれる。

「う、うん」

思わず頷いてしまうと、類が濡れないように袖口をまくって、桶で理人の背中に湯をかける。類はボディタオルにソープをつけて泡立てると、丁寧な手つきで理人の背中を洗った。

(手じゃないんだ)

拍子抜けして前を向いていると、泡立てたボディタオルを差し出してくる。

「前やる?」

「お、おう……」

てっきり全身やってくれると思ったので、仕方なく自分で身体を洗った。

(何で、俺、少しがっかりしてんの?)

無言で髪も洗い、全身を洗い流す。類は平然とした様子で理人を湯船に移し、すっと立ち上がった。

「上がる頃、呼んで」

あっさりとそう言って、浴室を出ていく。理人は浴室に一人になり、はぁとため息をこぼした。

(ぜんぜんエッチな気持ちになってないみたいだったな。そりゃそっか。こんなガリガリの身体見ても欲情しないよな。いや別に! してほしいわけじゃないけど!)

心の中で突っ込みを入れ、顔を擦る。何だか無性に寂しくなってきた。弟がまともになって嬉しいはずなのに、寂しくなっている自分がいる。とても変な気分だ。自分は何を期待していたのだろう?

(俺……、類とセックスしたの……嫌じゃなかったんだな)

改めて考えてみて、類との行為が嫌ではなかったと自覚した。こんなことはいけないと思いつつ、類のあふれるばかりの愛情を一身に受けるのは、悪い気分じゃなかった。

類はきっと離れている五年の間に、自分との関係が間違っていたと気づいたのだろう。もともと病気のせいで変に執着してしまっただけだ。類が兄弟の関係に戻るというなら、理人もそれに従うまでだ。

(何だか俺……気持ちが沈むなぁ)

目覚めてからずっと類の心の声が聞こえなくて、空虚な思いを抱いている。類が何を考えているか分からないくらいでこんなに落ち込むとは思っていなかった。もしかすると執着しているのは、今度は自分なのではないか。

このままではいけないと思いながら、理人はまたため息をこぼした。


祖父母とはたくさん話をして、過ごした。祖父母が帰る日が来て、理人は空港まで見送りに行くつもりだった。けれど類に仕事の打ち合わせが入り、運転を頼めなくなった。

「ごめん、俺が出ないとまとまらない案件なんだ。代わりに坂井が運転してくれるって」

類にそう言われ、理人は内心躊躇してしまった。運転をしてくれるのは有り難いが、行きは祖父母がいるからいいとして、帰りは二人きりになってしまう。ほとんど話したこともない女性と二人で車で戻るのは、気が進まなかった。だが、荷物の多い祖父母を電車で帰らせるのは可哀そうだし、そもそも電車で空港へ行くなら理人は見送りに行けない。

「う、うん。じゃ、お願いしようかな……」

自分の苦手意識など我慢すべきだと決め、理人は無理に笑みを浮かべて頷いた。

「坂井です。社長の代わりに私が責任もって、お見送りしますので」

当日の昼、スーツ姿の坂井が祖父母と理人に微笑みながら現れた。祖父母は孫の秘書とあって、愛想よく話しかけている。驚いたことに坂井は簡単なフランス語なら話せて、祖父母とコミュニケーションをとっている。

（すっご。才色兼備。ザ、秘書って感じ）

坂井の隙のない挨拶に気後れしつつ、理人は車椅子で車に乗り込んだ。坂井の運転は安全運転で、祖父母も安心して乗っている。空港までの道すがら、次は自分がフランスへ行くと理人は告げた。身体は順調に回復していっている。

「無理しないのよ。ルイがいれば大丈夫ね」

祖母は何度も理人の頰にキスして笑う。空港が近づくにつれ、別れたくないなという気持ちでいっぱいになった。自分は病気のせいで子ども返りをしているのだろうか。それとも両親が亡くなっているせいか。血の繫がった祖父母と別れるのがひどくつらいことのように感じられた。

「おじいちゃん、おばあちゃん、元気でね」

搭乗口で祖父母とハグとキスをして、涙目で二人を見送った。

「戻られますか？」

二人の姿が見えなくなると、坂井が事務的な口調で言う。

「はい。お願いします。ご迷惑かけてすみません」

寂しい気持ちを切り替えて、理人は坂井に頭を下げた。なるべく自分で車椅子を動かそうとしたが、坂井はさっさと押してしまう。身内ではない坂井にわがままは言えないので、理人は緊張しつつ従った。

帰りの車の中は行きと違い、静かなものだった。何か話しかけるべきかと思ったが、何を話しかけていいか分からない。会社のことはよく知らないし、類について何か聞く気にはあまりなれなかった。

「理人さんは……」

しんとしていた車内で、突然坂井に話しかけられて、理人は「はいっ」と反射的に高い声を上げてしまった。

「理人さんは、元気になられたらどうなさるのですか？」

車の運転をしながら坂井が抑揚のない声で聞く。理人は質問の意味が呑み込めず、ぽかんとした。

「大学受験の前でご病気になられたと聞きました。進学なさるのですか？　それとも就職を？」

重ねて坂井に聞かれ、理人は戸惑ってまじまじとシート越しに坂井の後頭部を見つめた。

元気になったら――そんなこと、まだ考えてもみなかった。確かに今は車椅子だが、いずれ自力で歩けるようになるし、元の健康体に戻るはずだ。その時に自分はどうしているのだろう。大学に行くか、仕事するか――。

「えっと……まだ迷っていて……」

何も考えていないと言ったら怒られるような気がして、理人はそううそぶいた。

「そうですか」

素っ気ない口調で坂井が呟く。それきり話題が途切れ、車内は居心地の悪い空気になった。

坂井に対して苦手意識が起きる理由が、何となく分かってきた。

（この人、俺のこと嫌いみたい）

内心ひやひやしつつ、理人はどうして自分が嫌われているのだろうと悩んだ。坂井は類に対して好意を抱いている気がするのに。小さい頃から類の傍にいたので、類に気がある女性は数多く見てきた。坂井の類を見る目は彼女たちと同じだ。だからふつうなら双子の兄である理人に良く思われようとしたり、言い寄ったりするものなのだが、坂井は逆に理人に対して冷たい。

（変なの……何でだろ）

気にはなったが直接聞くほど強い心臓の持ち主ではないので、早く着きますようにと願いながら車に揺られた。


歩行訓練を続け、徐々に車椅子ではなく歩行器を使って動けるようになってきた。すでに六月に入り、梅雨の季節になっている。体重も四十キロ間近で、だいぶ以前の顔に戻ってきた。

「今週で私のお役目は終わりそうです」

出勤時間になってやってきた新田にそう言われた時は、理人は一瞬言葉を失ってしまった。何となく勝手に新田はずっといるものと思っていたのだが、よく考えたら理人が健康になったら仕事がなくなる。

「そう……なんだ。その後はどうするの？」

新田の仕事が気になり、不安な表情で聞くと、明るい顔で笑われた。

「ご心配なく、来週から佐久間先生の病院に戻るだけですから。検査の時に会えますよ。もともと類さんがその後の仕事についても手を打ってくれていたんです」

聞くと、新田はもともと佐久間のいる病院で働いていた看護師らしい。類が引き抜き、理人の個人的な看病を頼んでいたそうだ。新田の行く末まで考えている類に脱帽し、ホッとした。こんなにお世話になって、これでお別れだとしたら寂しすぎる。

「歩行器なしでも、もう歩けると思うんですけどね」

新田にそう言われ、歩行器を奪われる。歩行器があるとないとじゃ安心度が違うのだが、来週から新田がいないとなると、今のうちにがんばらねばという思いに駆られ、歩行器なしで歩く練習に切り替えた。

「外に出てみましょう」

新田に傍についてもらいながら、理人は自力でマンションを出て歩き始めた。ゆっくり歩きながら、体力をつけていく。マンションを出て近くのコンビニに行くだけでどっと疲れて、花壇の植え込みで休ませてもらった。

「公園まで行ってみましょう」

少し休憩すると新田に促され、亀の歩みで公園まで歩いた。最初は歩行器が欲しいと愚痴ってしまったが、やはり自分の身体だけで歩けるのは気持ちいいものだ。たくさん汗を掻いて、公園のベンチでしばらく座り込んだ。新田はこの調子なら大丈夫と太鼓判を押してくれる。三月に目覚め、三カ月が過ぎている。これほどまでに快復できなかったのは初めてで、二度と病気を発症したくないものだとつくづく感じた。

新田と一緒にマンションに戻ると、エレベーターを降りたところで言い合う声が聞こえた。

「類、これは真面目な番組なんだから、考え直してちょうだい。メディアに出るってことが、知名度を上げることに繋がるのよ」

類のマネージャーである中野の声だ。

「うるさいな、俺は理人を売り物にしたくないんだよ！」

類の怒鳴り声がして、理人は気になって廊下に出た。類と中野がハッとしてこちらを振り向き、口をつぐむ。声はしなかったが、坂井も一緒にいた。自分の名前が出てきたので、スルーするわけにもいかない。

「えっと、あの、どうしたのかな？」

理人がそろそろと近づくと、中野の表情がわずかに弛んだ。

「理人君、歩行器なしで歩けるようになったのね。よかったわ。少し話があるんだけど、いいかしら？」

中野がずいっと近づいてきて、類のこめかみが引き攣る。

「マネージャー！」

「いいじゃない。理人君の意見も聞いてみましょうよ」

中野を睨みつける類の態度が気になり、理人は「いいですけど」と答えた。中野が撮影室に行こうと目を輝かせる。新田は部屋に戻っていると言ったので、理人は撮影で使っている１３０３号室に入った。類も仏頂面で入ってくる。モデルハウスみたいに生活感のない綺麗なリビングに入ると、中野に促され白いソファに座った。類はずっと不機嫌な様子で壁際に立っている。中野と坂井が向かいのソファに腰かけ、愛想笑いを浮かべた。

「実はね、理人君。今度テレビで黒夢病の特集があるの。その企画にね、類に出演してもらえないかってオファーが来て。当事者である理人君もＶＴＲで出演してもらいたいそうなのよ。医療系の固い番組というよりは、一般向けに分かりやすく病気について解説する番組なの」

中野がバッグからホチキスで留まった企画書を取り出して言う。類が怒っていた理由がよく分かり、理人はぱらぱらと企画書を捲った。

「類は気が進まないようなんだけど、理人君はどうかしら？　出演っていっても、ちょっとインタビューして答えてもらうだけだから、難しいことなんてないはずよ」

理人は困り果てて類をちらりと見た。

「俺は反対」

類は素っ気ない口調で言う。

「大体、勝手に理人の写真撮った奴を、訴えるべきだろ。肖像権侵害だ」

類の尖った声に、理人は目を丸くした。

「写真……？」

何を言っているか理解できず、首をかしげると、中野が口元に手を当てる。

「あら、知らなかったんだ。実はこの前写真週刊誌に、車椅子でお花見してる類と理人君の記事が載ってね。あ、もちろん美談として書かれてたの。おかげで類の人気も上昇して、マネジメントしてる身としてはラッキー……」

「俺は許可なんてしてない！」

　類がカリカリした様子で怒鳴る。噂の週刊誌を見せてもらったが、車椅子を押している類の姿が写し出されている。ざっと読んだが、確かに好意的な記事だ。理人の顔はあまりはっきり写されていないし、芸能人は大変だなぁと思うくらいだった。

「それもあって、黒夢病っていう現代の奇病をテレビで取り上げたいって企画が持ち上がってね。身内に患者のいる類にスポットが当てられたってわけ。で、どうかな。理人君がちょっとだけでも出演してくれるなら、類も出るって言ってくれると思うんだけど」

　中野は理人のほうに身を乗り出して、熱意を込めて言う。

「俺の好感度でも上げたいのかよ？」

　類に皮肉げに笑われて、中野が顔を顰める。話を中断するように類のスマホが鳴りだし、類が舌打ちして部屋から出ていく。類がいなくなると、中野がぎゅっと理人の手を握ってきた。

「理人君、理人君も同じ病気を抱えている人たちにエールを送りたいとか思うでしょ？　同じように苦しんでいる患者さんや、身内の人がいるのよ。周囲の人たちに病気に対する理解を深めてもらいたいと思わない？　ねぇ、坂井さんもそう思うわよね」

　強い口調で中野に迫られ、理人は反論できずに困った。するとそれまで黙っていた坂井が、ふっと笑って口を開く。

「そうですね。理人さんは、少しは社長のお役に立つべきだと思います」

　冷たい声で言われ、理人は固まった。同意を求めていた中野も困惑して坂井を振り返る。

「え、えっとー、まぁ、理人君が出てくれるなら、類も出てくれると思うのよ。どうかな？　出演料は期待しないでほしいけど、同じ病気の人のために役立つと思って」

中野が顔を引き攣らせながら、言う。否と言わせない空気を感じ、理人は「声だけ……とかじゃ駄目ですか」と苦し紛れに言った。類みたいに世の中に顔を出す勇気は理人にはない。

「声だけでもいいわよ！　こっちで何とかするから！　あ、類。理人君のオッケーが出たよ！」

部屋に戻ってきた類に、中野が嬉々として言う。類の表情が険しくなり、疑うような眼差しで中野を見据える。

「仕事の調整は私のほうでしますので」

坂井は先ほどの冷たい声とは打って変わって、にこやかな態度で類に微笑みかける。

「本当にいいのか？　あまり病気のこと、知られたくないんだろ？」

類が横に座り、理人の顔を覗き込んでくる。

正直に言えば、あまりやりたくない。だが圧の強い女性二人に迫られ、断れなかった。特に坂井の態度が恐ろしすぎて、嫌だと言えなかった。やはり嫌われていると思ったのは気のせいではないらしい。

「声だけでいいって言うから……。まぁ……、理解してもらうにはいいのかも……」

力なく笑い、理人は坂井を窺った。坂井は仕事の続きをするようで、すっと部屋を出ていく。中野が意味ありげに理人を見て苦笑した。

「彼女、悪い子じゃないんだけど、ボスに対して盲目的なところがあるからね」

小声で中野に囁かれ、理人はぎこちない笑みで答えた。坂井は類を崇拝するあまり、理人を煩わしく思っているのだろうか。なるほどと思い、理人は類の手を借りて立ち上がった。類に「何の話？」と聞かれたが、告げ口みたいで嫌だったので何でもないと答えておく。

それにしても病気について語らなければならないなんて、億劫だ。正直に言えば、理解されることが難しい病気だから、あまり語りたくない。高校生の時も、病気に関してはいっさい周囲に言っていなかった。同情されたり、奇異な目で見られたり、どちらもあまり好きではない。元気になれば、ふつうの人と同じ暮らしができるのだ。

（面倒だなぁ……）

厄介な問題が増えて、理人はげんなりして部屋に戻った。


週末には新田と別れる日が来て、理人は新田のためにひそかに買っておいた花束を渡した。歩行器がなくても、自力で歩けるようになり、帰りはマンションの前まで新田を見送った。まだふつうの人と同じ速度で歩くことはできないが、体力がつけば走ることだってできるようになるだろう。

中野が言っていた黒夢病特集の企画はあっという間に進み、ある日マンションにプロデューサーやスタッフが数人やってきた。

「わぁ、さすがルイ君の身内。綺麗な子だねぇ。声だけって話だけど、やっぱり顔を映しちゃ駄目かな。絶対映えるよ、君」

プロデューサーの一条寺《いちじょうじ》と名乗った中年の男性は、理人を見るなり興奮して迫ってきた。たじたじしていると、類がじろりと一条寺を睨んで、間に割って入ってくる。

「音声だけっていう話ですから」

類にきっぱりと断られて、一条寺が未練がましく拝んでくる。すみませんと断り、声だけのインタビューにしてもらった。内容は、この病気になってつらいこととか、周囲の反応、治療法などありきたりのものだった。別に自分でなくてもいいのではと思ったが、聞かれるままに素直に答えた。

インタビューは一時間程度で終わり、理人はホッとして肩の力を抜いた。

（こうして聞かれると……俺、別に病気について理解してほしいわけじゃないんだな。治療薬はできてほしいけど、病気だって目で見られるのは嫌かも……）

もやもやした思いを抱えつつ、理人は部屋へ戻った。類はスタッフと打ち合わせをするらしい。

部屋に戻り、スマホを見ると、メールが入っていた。

（大地だ）

メールの差出人を見て、胸をドキドキさせる。自立歩行できるようになったので、大地にメールを送ったのだ。今どうしているか聞き、自分は回復して元気だと知らせた。理人が病気になった時点で学校側から説明があったが、海や大地には類が詳細を話してくれた。大地は時々類にメールを送り、理人の様子を聞いていたらしい。

（二人とも元気そうだ。会いたいって書いてある）

海と大地は大学に進み、今はそれぞれ就職しているらしい。海も会いたがっていると大地のメールには書かれていて、気分が上昇した。

「類、ちょっといい？」

スタッフが帰っていったのを見計らい、理人は類に声をかけた。

「大地に連絡したら会おうって話になったんだけど、今度の日曜日の夜、空いてる？」

一緒に会いに行けたらと思い誘ったのだが、あいにくと類は日曜日に仕事が入っていた。

「ごめん。九時過ぎなら合流できるけど、その前は無理だ。理人を迎えに行きがてら、顔を見せるよ」

スケジュール表を見た類が首を振る。分かったと頷き、大地に返事をしておいた。類は最近忙しい。ショップの売れ行きがわりといいらしく、新作の制作にかかりきりになっている。メディアの仕事も増えて、忙しそうだ。そんな忙しい最中も、理人のために食事を作り、一緒の時間を捻出してくれる。

（このままじゃ駄目だなぁ。俺、これからどうするんだろう。何をすればいいんだろう）

周囲が忙しくしているのを見るにつけ、自分が置いていかれているのを実感する。今はまだ健康体とは言い難いので仕方ないが、身体が戻ったら理人も動きださなければならない。

（でも何を？　俺はどこへ向かっていけばいいんだろう）

五年前は進学するのが当たり前だと思い、それに向けて準備をしてきた。けれど二十三歳になった今、進学すべきなのかどうか理人は悩んでいる。それほどやりたい勉強があるわけではない。将来何になるかとか、大学に通っているうちに探せばいいのだと思っていた。いわば、大学は自分と向き合う時間づくりだった。けれど今から通うとなると、卒業するのは四年後だ。しかも次の試験まで間がある。

（お金はあるんだけどなぁ……。使いづらいお金なんだよなぁ）

類から渡された通帳には、目玉が飛び出るほどの大金が入っていた。遺産と土地を売った金額に、類が資産運用したとかで五千万円近く入っていたのだ。こんなにあるなら、自分の病気にかかる金額はここから出してほしかった。自分のものといわれても、無駄に使うのは憚られるお金だ。

(それをいったら、ここって俺の家でもないよなぁ……)

考え始めるとドツボにはまるのであまり考えないようにしているが、理人が住んでいるマンションは類の持ち家で、間借りしている状態だ。もちろん類は追い出すような真似を絶対にしないと思う。だが、もともと住んでいた実家ならいざ知らず、成人した大人である自分が、兄弟の家にずっといるのは何か違う気もする。

(俺、どうすればいいんだろう)

元気になればなるほど、別の問題が頭をもたげてくる。心は高校生のままで自立していないのに、年齢だけ勝手に上がって自立を促されている気分だ。

(俺、どこへ行けばいいんだろう)

何かしたいことがあるわけでもない自分にとって、漠然とした不安が日々広がっていた。それを解消する術が見つからず、理人は日々を過ごしていた。


日曜日の夕刻に、以前塾に通っていた最寄り駅へ理人は向かった。

少し肌寒い日だったので、生成りのシャツにカーディガンを羽織って出かけた。待ち合わせ場所の改札口で待っていると、見覚えのある顔が近づいてきた。

「理人！」

大地と海は声を揃えて理人に駆け寄ってくる。二人とも涙ぐんでいて、海に至っては抱きついてきたほどだ。大地は白いTシャツにジーンズというラフな格好で、海は黒い開襟シャツにプリーツスカートという女の子らしい服装だ。大地は身長が伸び、ますますもっさりした印象になった。海はすっかりOLといった雰囲気で、髪も巻いている。

「理人、痩せたね。でもぜんぜん変わってない。本当に、成長が止まるんだね」

ウルウルした目で海に言われ、理人はぎこちない笑みを浮かべた。理人もそれをすごく感じた。類が大人びていたように、大地と海もすっかり大人になっている。自分だけ、タイムトラベルをしたみたいにまだ子どものままだ。

「とりあえず店に行こうよ。予約してあるし」

大地が元気よく言い、駅の近くの居酒屋に向かった。個室の多い居酒屋で、魚料理が美味いと評判らしい。奥の個室は掘《ほ》り炬燵《ごたつ》になっていて、畳敷きの部屋だ。海と大地はサワーを頼んだので、理人もつられてレモンサワーを頼んだ。成人して飲酒できる歳になったが、理人はまだ酒を飲んだことがない。運ばれてきたグラスで乾杯した後、おそるおそる口にしてみたが、爽やかな味で気に入った。

「本当によかった、理人。あの頃、マジで落ち込んだんだから、アタシたち」

サワーをごくごく飲み干しながら、海がじっと理人を見つめて言った。

「ごめん、突然発症したから話す間もなくて」

理人のスマホの中には二人からの長文メールが入っていた。五年経って開封されるとは二人とも思っていなかったろう。

「俺たちもだけど、類は見ていられないほどでさ」

暗い表情になって大地が明かす。

「そうだったんだ……？」

理人は胸を痛めてうつむいた。

「そうだよ。あの後、ほとんど塾に来なかったしね。年明けて何度か来たかな？　ってくらい。最初は突然二人が来なくなったから、どうしたんだろうって心配してて。そうしたら大地が類から病気だって教えてもらったんだ」

海がメニューを広げて苦笑する。海は何度かこの店を利用しているようで、注文を取りに来た店員に人気メニューを次々と頼む。

「理人と類は仲良かったからなぁ。お前がいないと、類とはしゃべりづらくてさ。塾に来てもぽつぽつ話すくらいだった。海もがんばってたけど、玉砕《ぎよくさい》したな？」

大地がからかうように海に話を振る。

「うっさいわ。でもマジで理人がいないと類って雰囲気変わるじゃん？　実はあの頃、類のことちょっと好きだったんだけど」

ぽっと頬を赤らめて海が言う。理人はびっくりして海を見つめた。あの頃の海は負けず嫌いでそういう感情を認めないと必死だったのに、今は大人になったのか素直に認めている。

「理人いないと、ぜんぜん相手にしてもらえなかった。慰めようとしたアタシが馬鹿だったんだけどさ。類って、理人いないと高嶺《たかね》の花《はな》だよねー。今もすっごい活躍してるしさ。あの頃トモダチっぼくしてもらえたの現実とは思えない」

「男の俺にさえ、素っ気ないからな。類って理人以外はマジで塩対応だったよな」

大地と海が笑い合う。自分がいなくなった後、類はそんなふうになっていたのかと、申し訳ない思いでいっぱいになった。

「今はそうでもないと思うよ。九時過ぎなら合流できるって言ってたけど」

理人が苦笑して言うと、海が目を見開き、バッグから鏡を取り出す。

「え、類、来ないと思ってた！　マジでっ、だったらもっと盛っておけばよかった！」

分かりやすく自分の顔を気にする海に、大地が「無駄無駄無駄無駄無駄ぁああ」とからかう。相変わらず仲のよい双子の二人を見て、理人は微笑んだ。

「二人はどうしてるの？」

二人の近況を知りたくて話を向けると、大地はゲーム会社に就職したようで、毎日大変だと話してくれた。海は文房具会社に就職し、丸の内《まるうち》ＯＬを謳歌しているようで、上司の文句を言いながらも楽しそうな様子が窺えた。二人はまだ実家暮らしらしく、いずれ一人暮らしをしたいとぼやいている。

楽しそうに『今』を生きている二人を見ているうちに、理人は酒を飲み干した。続けてもう一杯注文する。料理もたくさん運ばれてきて、理人なりにがんばって食べた。まだ人並みの量は食べられない理人だが、それでも無理して口に運んだ。間をごまかすために、何かを飲んだり、口にしたりすることでやり過ごそうとした。

「理人はどうしてるの？　今」

自分たちが話しすぎていると思ったのか、海に思い出したように聞かれたが、理人は「リハビリがんばってるかな」としか言えなかった。

二人に会った瞬間は嬉しかったが、時間が経つにつれ、気づいてしまった。二人には理人に話せる五年間が存在するが、理人には何もないのだということを。

理人以外の人は皆たくさんの経験をして、いろんな時間を過ごしてきた。けれど理人には話せることが何もない。それが無性に寂しくて、腹の底に冷たいものが溜まっていくようだった。一時間もすると帰りたくなり、席を立つきっかけを頭の隅で探していた。

（ああ、俺……、何かすげー嫌なやつかも……）

顔では笑っているのに、心の中ではどろどろとしたものが湧いてきて、自己嫌悪に陥った。二人からの心配するメールを読んで会おうと決意したけれど、今は会うべきではなかったかもしれないと思っていた。不確かな場所でもがいている自分にとって、迷いなく人生を送っている二人は眩しすぎる。いつ帰ると言いだそうかと悩んでいると、個室のドアがノックされる。

「あ、理人。いた」

振り返ると、類が屈み込んで梁《はり》を避けながら入ってくるところだった。海の目が見開かれ、一瞬にしてきゃあと黄色い声を上げる。大地は類のオーラに圧倒されたように身を引き、固まる。

「類、早かったな」

九時過ぎと言っていたのに、まだ八時だ。類の姿を見て何故か安堵感が広がり、理人は表情を弛めた。類は海と大地に「久しぶり」と声をかけ、理人の隣に腰を下ろしてくる。そのまま注文を取りに来た店員にウーロン茶を頼み、おしぼりで手を拭く。

「うっわ、類だぁ。やー、ホント久しぶりだねぇ。芸能人っぽい！　あちこちで類のポスター見るよぉ。交差点のとこ、ブランドの店の看板が類でっ」

海は先ほどより一オクターブ上がった声でまくしたてる。目の前に類が座ってテンパっている。

「海は綺麗になったね。大地は……おっさんぽくなった？」

類が運ばれてきたウーロン茶を口にして言う。どう見てもお世辞だったが、綺麗になったねと言われて海が真っ赤になってじたばたする。大地はムッとして「放っておけ」と眼鏡を指で押し上げる。

「類は飲まないのか？」

ウーロン茶を飲んでいる類に聞くと、車で来ていると言われた。電車に乗ってここまで来るのにすごく疲れたので、帰りは車だと知り、ホッとした。類はお酒を飲んでいる理人に気づき、額に手を当ててきた。

「何か、妙に白くない？　大丈夫？　酔ったんじゃないか？」

類にべたべた顔を触られて、理人は胸に手を当てた。そういえば少し気持ち悪い。初めてお酒を飲んだのでよく分からなかったが、酔っていたのだろうか？　ふつう赤くなるものなのではないか。

「類、理人が元気になってよかったね。二人が仲良くて嬉しいよ。うちらとは違う感じなんだよね、理人と類は」

海はすでに何杯も飲んでいるせいか、頬が赤く、目がとろんとしている。

「ねー。定期的に双子会を開かない？　双子だけが入れる会」

調子よく酒を飲み干し、海がはしゃいで言う。理人は曖昧な笑みを浮かべ、酔いを醒ますために水を飲んだ。類は新たに注文した料理をパクパク食べて、大地の会社で作っているゲームについて聞いている。

類が来て一時間ほど話すと、腕時計を見て類が「理人、そろそろ帰ろう」と腰を浮かした。海は残念そうに「えーっ、二軒目行こうよ」とごねたが、理人は疲れたので類がお開きを宣言してくれて助かった。

店の前で二人とまたねと手を振り、類に支えられながら近くの駐車場に移動した。類は理人が車椅子を使わなくなった時から、車を買い替えた。今はシルバーのエコカーだ。

「理人、大丈夫?」

類と二人きりになったとたん、どっと疲れが出てきて、助手席に乗り込んだ時にはぐったりしてしまった。類はすぐにはエンジンをかけず、理人の顔を覗き込んでいる。

「ごめん……。来てくれて助かった」

シートにもたれかかり、理人は目を閉じた。

「理人、落ち込んでない? 愛想笑いしてた」

懸命に皆と話を合わせていたつもりだが、目敏い類にはばれていたようだ。

「大丈夫だよ」

理人は苦笑してシートベルトを締めた。類の言う通り気分は沈んでいたが、自分でも何故こんなに沈んでいるのか分からなかったので、無理して微笑んだ。

海や大地に話せる事柄がないからといって、落ち込む必要はない。自分にはこうして案じてくれる弟がいるし、衣食住には困らない生活をしている。これで落ち込むなんて贅沢だ。

「気分悪くなったら、言ってね」

類が車のエンジンをかけ、ゆっくりと発車させる。夜道を車で移動しながら、理人は無言で流れていく景色を見ていた。五年経ったせいか、塾の近くもだいぶ様変わりしていた。見覚えのある店も多かったが、新しい店が建ち並び、前はなかった高層マンションが現れている。変わっていく。知らない場所が増えていく。

ぼんやりとそれらを見ているうちに、自宅のマンションに着いた。疲れているのもあって、理人は遠慮なく類に肩を借りた。エレベーターで十三階に上がり、自宅の部屋の鍵を開ける。

「風呂入るのやめとく？　俺もそうだけど、理人も飲んでも赤くならない体質なんじゃない？　もう寝たほうがいいよ」

類は理人のために酔い覚ましの薬を取り出しながら、あれこれと気遣ってくれる。理人は素直に頷き、ベッドの置かれている部屋のドアに手をかけた。

「おやすみ、理人」

類は部屋の中へ入っていく理人に優しく笑みを浮かべる。それに対して無性に寂しさを覚えながら、理人は部屋のドアを閉めた。

一人きりの部屋に入ると、のろのろと着替えをして、ベッドに倒れ込む。

昔は一緒に寝ていた。おやすみのキスをしていた。いつでも一緒だった。

今、類は理人の部屋に入ってこない。おやすみのキスもしないし、仕事の合間にしか顔を合わせない。

（俺……俺、どうしたんだろう）

一人のベッドが広すぎて、心もとない。咽がひりつくような、息苦しさを感じる。懐かしい友達に会って楽しく過ごしていたはずなのに、胸が苦しくてたまらない。

(懐かしい？　嘘だ、ぜんぜん懐かしくなんてない！)

枕をぎゅっと抱きしめ、理人は目尻に涙を滲ませた。そう——理人にとって、懐かしくなどない。少し前までしょっちゅう会っていた友人だ。周囲の人と感覚がずれている。共感できない。置いていかれているような、虚しさを感じている。だが、誰が悪いわけでもない。病気のせいで、こうなってしまっただけだ。

あのまま発症せずにいたら、理人だって皆と同じようにふつうに人生を過ごしていた。大学に行き、仲のいい友人を作り、何か打ち込めるものを探した。それらはすべて泡と消えた。描いていた未来は、何もなくなってしまった。

今の自分は行くべき方向を見いだせずにいる。クラゲのように漂っている。

(俺は寂しい)

それを自覚すると、頬に熱いものが伝って、胸を喘がせた。一人がこんなに怖いなんて知らなかった。昔は両親の愛に包まれ、類の鬱陶しいくらいの愛情に満たされていた。

(寂しい、寂しいよ……。どうすればこの寂しさは解消される？)

声を殺してすすり泣き、理人は胎児のように身体を丸めた。そのうちこの感情は薄れていくのだろうか。平気になっていくのだろうか。今の理人には分からなかった。ただ涙が、とめどなく流れ続けた。

■7　一番近くて遠い君

黒夢病についてのテレビは八月半ばに生放送で流されることになった。

放映当日に理人は検査の日で、佐久間の勤める病院に足を運んでいた。類が送っていくと言ったが、四谷のマンションから病院はバスで一本なので一人でも行けると断った。忙しい類に手間をかけさせたくない。

いつものように血液検査やMRIを取り、佐久間の問診を受けた。

「体重は四十七キロか。この年齢にしては細すぎるけど、だいぶ肉づきもよくなったし、以前の体形に戻ってきたね。もう大丈夫だろう」

佐久間はカルテを見て、笑顔になる。

「あの……真矢は……？　まだ……？」

一通りの診察を受けて、理人は気になっていた質問をした。佐久間の顔が曇り、眼鏡を指で押し上げる。

「うん。真矢ちゃんは状態を維持している。そういえば、今日テレビでこの病気の番組がやるでしょう？　理人君もインタビューに答えたって聞いたけど。俺のところにもテレビの人が来たよ」

「あ、はい」

佐久間のところにも話が来ていたのかと理人は頷いた。佐久間はこの病気と長く関わっているので当然といえば当然かもしれない。

「変な風に取り上げられないといいんだけどねぇ」

ペンで頭を掻きながら佐久間が呟く。

何となくざわざわした思いを抱えながら、理人は診察室から出ていった。そのままナースステーションに行き、「新田さん、いらっしゃいますか？」と近くにいた看護師に声をかける。

「新田さんなら、今日は休みなんですよ」

若い看護師の女性が、申し訳なさそうに言う。今日の検査で新田に会えると思っていたので、かなりがっかりした。間が悪い。

「そうですか……」

しょんぼりして病院を後にして、バスでマンションに戻る。すっかり日が暮れて、辺りは金色に包まれている。マンションのエントランスのところで、類の会社の社員らしき若い男性二人とすれ違った。仕事が終わったので帰るのだろう。二人とも理人の顔を見て、すぐに類の身内と分かったようだ。理人はぺこりと頭を下げて通り過ぎた。

「すごく若く見えるよなぁ。あれで社長と双子とか信じられん」

「え？　年の離れた弟じゃなかったの？」

去っていく社員の話し声が、聞こえてきて、胸がちくりとした。気にしないようにしようと速足で家に戻り、「ただいま」と声をかけた。類がテレビの仕事で出かけているのを思い出し、キッチンに立つ。冷蔵庫にメモ書きが置かれていて、夕食をレンチンするようにと書いてあった。

（忙しいのに夕食作ってくれたんだ。たまには自分でやろうと思ったのに）

体力はかなり戻ってきていて、理人は何かしなければという焦燥感を抱いていた。類が家事はほとんどやってくれるし、家政婦も雇っているので、今のところすることがない。

リビングでぼうっとしながら、夕食の竜田揚げを食べた。食欲はなく、少し食べただけでお腹いっぱいになってしまう。一人のリビングは静かすぎて、理人はテレビをつけた。

（あ、この後やるんだ）

九時になり、黒夢病の番組が始まったので、理人は気が進まないながらも観ていた。有名な司会者がゲストを招いて黒夢病についてトークを交えるという内容だ。五人いるゲストのうちの一人が類だった。無表情で座っている。他にはお笑い芸人やイケメンで有名な俳優の白鷺《しらさぎ》、医療関係者など見たことのある顔ばかりだった。最初に現代の奇病とテロップが出て、病気の説明が流れる。

（え？）

番組を見ていると、途中で『未だ目覚めないMさん』と題して、病室で寝ている真矢の姿が映し出される。真矢は呼吸器をつけていて、頬がこけ、顔色も悪い。目覚めた時の理人と同じくたくさんの管やコードをつけられ、バイタルサインがモニタリングされている。

（これ、真矢のご両親がＯＫ出したんだろうけど……後で絶対真矢が怒るなぁ。寝ているところなんて撮影されたくないよ）

長々と映し出される真矢の姿に、胃の辺りがしくしくと痛みだす。もし自分がこんなふうに映されたら――類は絶対に許可など出さないと思うが、想像しただけで嫌な気分だ。

画面はスタジオに変わり、司会者の進行のもとゲストに話が振られていく。白鷺は近くこの病気を扱った映画が公開されるということで呼ばれたようだ。元気になった患者とテレビ中継したりして進行していく。

「この病気を発症する原因の一つがストレスと言われていまして……」

黒夢病の第一人者と謳《うた》われた医師がつらつらと話している。自分が五年前に発症した時のことを思い出し、少し嫌な気分になった。類の顔は映し出されていないが、気にしていたらどうしよう。そう思っていた矢先、画面が切り替わり、『ルイの双子の兄』として自分の顔が映し出される。

(ちょ……っ、俺、顔出ちゃってるじゃん！)

理人は唖然とした。音声だけ録っていると言われたのに、ばっちり顔がさらされている。そういえばあの時、映像で録って声だけ流すとごまかされたような……。スエット姿で会わなくて本当によかった。類の作った服を着ていたので、見た目に問題はないが、すっかり騙された。同様にスタジオで映像を見ていた類の顔が強張っているのが分かる。類も知らなかったのだろう。スタジオでは「えーっ、ルイの双子のお兄さん、すごい可愛いね」とか「天使みたい」と他のゲストが理人について騒ぎ立てる。

かろうじて平静を保っていた類がキレたのは、お笑い芸人の一言だった。

「こんな若くいられるなら、俺も病気になりたいわ」

お笑い芸人の一人が面白おかしく言って、周囲の笑いを誘った。とたんに類がぶち切れて、その芸人を睨みつけた。

「不快な発言はやめて下さい！」

類の鋭い声にお笑い芸人も怯み「怖っ」とわざとおどける。類の怒りは理人にも理解できた。本気で理人の心配をしている類からすると、苛立つ発言だったろう。

「ルイ君はこの病気とずっと携わってきたんですよね。お兄さんは五年も意識不明だったとか」

司会者がフォローするように割って入る。

「黒夢病は昏睡状態のまま死んでしまう患者もいるんです。冗談でも、病気になりたいなんて言ってほしくないですね」

類は自分より有名なお笑い芸人相手でも臆することなく意見する。類は大丈夫だろうかとハラハラした。理人の目にも番組の雰囲気が険悪になりかけたが、さすが熟練の司会者が上手いこと他のゲストに話を振り、事なきを得た。

番組の最後には、白鷺が映画の番宣をして、スタッフのテロップが流れた。やっと終わったと安堵して、残りのご飯を胃に収めた。

（やっぱり断ればよかったなぁ）

この番組で病気に対する理解は得られたのだろうか。単なる映画の宣伝にしか見えなかった気がする。そもそもテレビに顔が出てしまって、自分は大丈夫だろうか。そんな思いを抱きつつ、理人は類の帰宅を待った。


類の帰宅が遅かったので先に眠ってしまった理人は、翌日の状況に目を丸くした。

朝起きて、ジャージに着替えて日課の散歩に行こうとすると、リビングで中野と坂井、類が話し込んでいるのだ。何やら異様な雰囲気を感じて、理人はドアの隙間から三人を覗いた。

「本当に最近のSNSの速さには困るわぁ。類も、スルーできなかったわけ？　あっちだって場を盛り上げようとしただけなんだしさ」

中野はキッチンに立っている類に向かって、文句を言っている。類はスムージーを作っているらしく、ミキサーの音を響かせていた。

「社長は正論を述べたまでだと思います。現に世論は社長の意見に賛同しております」

ソファに座ってノートパソコンを広げていた坂井が、つらつらと話す。

「あ、理人君」

ドアから覗いていた理人に気づいた中野が、苦笑しながら手を振って招いてきた。

「あの……？　朝からどうしたんですか」

見つかったので仕方なくリビングに入っていくと、中野に昨日のテレビを見たかと聞かれた。

「実はねー。類が食ってかかった芸人さんのSNSが炎上しちゃってね。ほら昨日の無神経な発言、あれにさらにSNSでルイに叱られたーとか呟いちゃったのが、ネット住民の反感を買ってしまったわけ」

理人が呆れて顔を引き攣らせると、類が緑色の液体が入ったグラスを差し出してくる。色は悪いが飲むと甘くて美味しかった。

「俺は十分、丁寧な口調で言ってやったろ。お前の芸、ぜんぜん面白くねーよとか思ってても口にはしなかったぞ」

類はまだ昨日のお笑い芸人への怒りを抱えているらしく、ふてくされた顔をしている。

「そんなの口にしたら、あんたが叩かれる番だからね！」

中野は恐ろしげに身震いして言う。

「それで、類のSNSもすごいコメントがたくさん入ってて。これからどう対応していくか会議してるところ。うっかり対処を間違えると、こっちまで炎上するから、朝一で類のところに来たわよ。こういうの目敏い記者がいるから、理人君も気をつけてね。知らない人に声かけられたら、相手しちゃ駄目よ。昨日のテレビで、ルイの双子の兄が天使ってネットじゃ騒ぎになってるんだから」

中野と坂井がリビングにいる理由が分かり、理人は散歩に行こうか迷った。言われてスマホを見てみると、本当にウェブニュースに昨日のテレビの話が出ている。お笑い芸人の失言で、ここぞとばかりに叩く人間がいるらしく、芸能界の恐ろしさを知った。ついでに自分の顔もピックアップされてネット上にアップされている。

（ああ……俺は類と双子だけど、一般人なんですよ……）

可愛いともてはやされてもちっとも嬉しくないと、理人は肩を落とした。

「一応……マスクしていこうかな」

念のためにとマスクと伊達眼鏡をかけて、散歩に出た。特に声をかけられることもなく、杞憂《きゆう》だったかと安堵した。

しかしその数日後から、事態は変わった。番組に出ていた理人のスクリーンショットがネット上に流れ、芸人の炎上騒ぎとは別に、ひそかな騒ぎになってしまったのだ。映画の番宣がメディアに展開されていたせいか、病気と相まって話題の人となった。特に困ったのが、類と一緒に外に出ると、マンションの玄関前に記者らしき人間が張っていることだ。

「おい、理人の写真を勝手に撮るな」

類は自分のことには鷹揚《おうよう》だが、理人に関してはキレやすい。理人の写真を勝手に撮った記者のカメラを奪い、喧嘩腰で迫った。

「いいじゃないですか、今ネットで噂になってるんですよ。ルイの兄弟が天使みたいに可愛いって。スキャンダルじゃないんだし、一枚や二枚くらい、いいでしょ」

下卑た笑いを浮かべて言われ、類が記者の胸倉を摑む。慌てて類を止め、出かけるのをやめようと促した。

「クソ……ッ、だから反対だったんだ」

外出をとりやめてマンションに戻ると、類がイライラしたように吐き捨てた。

「ごめん、俺がオッケーしちゃったから……」

玄関で靴を脱ぎながら理人が謝ると、ハッとしたように類が髪をぐしゃぐしゃと搔き乱す。

「理人のせいじゃないだろ。顔出しNGにしたのに勝手に流したあのプロデューサーが悪い。後先考えないマネージャーが悪い。つうか、この機に理人を売り出そうってあいつしつこい」

中野に言われたことを思い出したのか、類がうんざりして言った。中野は商魂たくましく、ネットで騒がれているのに乗じて理人を類とセット売りしたいと考えている。残念ながらこちらは素人で、カメラの前で笑ったりポーズをとったりなんて無理に決まっている。確かに顔は似ているが、性格はぜんぜん違うのだ。

「しばらく俺、大人しくしてるよ。別にひきこもりも苦じゃないしさ」

浮かない顔つきでソファに座る類に、理人は冷たい麦茶を運んで言った。類は納得いかない様子でむっつりしている。

「ランチ食べに行けなくなったから、俺がクロックムッシュでも作ろうか」

気を取り直そうと、理人はキッチンに立って言った。クロックムッシュは母がよく作っていたものだ。これだけは料理が下手な理人も作れる。少しだけ類の機嫌が直り、コーヒーを淹れると棚から豆を取り出してケトルを火にかけた。

「――理人、仕事探してるの？」

ベシャメルソースを作っていた理人に、類がコーヒー豆を挽《ひ》きながら尋ねた。ランチに行こうと誘われたのは、どうやらその話をするためだったようだ。リビングにバイト情報誌が置いてあったのを見つけたのだろう。

「あ、うん。そろそろ何かしなくちゃと思って。とりあえずバイトでも、と……。まだ体力ないから、少しずつね」

理人が苦笑して言うと、類がじっと見つめてくる。

「仕事したいなら、俺のとこで雑用すればいいだろ。それじゃ駄目なの？」

挽きたての豆をセットしつつ、類が抑揚のない声で聞く。

「え、それはいいよ……」

類のところで働くということは、坂井と顔を合わせる機会が増えるということだ。すでに嫌われているのに、これ以上目の敵にされたくない。

「どうして？　俺の下で働くの嫌？　プライド的な問題？」

パンにベーコンを挟んでチーズを振りかけていると、類が横に立ってしつこく聞いてくる。あっさり認めてくれると思っていたので、少し驚いた。理人が外に出るのが心配なのかもしれない。

「え、そんなんじゃないけど……。ほら、お前に世話になりっぱなしじゃまずいだろ。いずれ自立しないとならないんだし……」

「自立なんてしなくていいじゃん」

思いがけない発言をされ、理人はびっくりして類を見つめた。類は言いすぎたと思ったのか、ぐっと言葉を呑み込み、額に手を当てる。

「目の届くところにいてほしいんだよ。また何かあったらと思うと、怖い」

類は背中を向けて、沸いたケトルの火を止める。理人は考え込みながらフライパンでパンを焼き始めた。新しいバイトを始めるか、あるいは以前働いていたステーキハウスでまた雇ってもらうかと考えていたが、類の気持ちを知り心が揺れた。

類にはかなり迷惑をかけている。そんな類の気持ちを無視してまで外に働きに出るのは、類に悪いかもしれない。いっそ坂井との事情を話そうかと思ったが、告げ口みたいで気は進まなかった。

「ちょっと考えさせて」

理人は悩んだ末に、そう言った。フライパンの上でベシャメルソースとチーズがパンから流れ、じゅーじゅーと香ばしい音を立てる。類のところで働く気はなかったが、そう言うことで問題を先延ばしにした。類は湯を注ぎながら、理人を見つめていた。

翌日は猛暑で、理人は日課の散歩の時間を夕方にずらした。北《きた》の丸《まる》公園まで歩いていって、汗だくで帰ってくる。

マンションの近くまで来た時点で、見覚えのある女性がこちらに向かってくるのが見えた。白いブラウスにピンク色のスカートを穿いた坂井だった。仕事が終わって帰るところなのだろう。日傘を差して、歩いている。一瞬遠回りして帰ろうかと思ったが、避けるのも変なので仕方なく近づく。

近くまで来た時点で坂井が気付き、理人はぺこりと頭を下げた。そのまますれ違おうとしたのだが、坂井に「理人さん、少しいいですか」と呼び止められてしまった。

「は、はい」

こんな時に記者でもいれば、今はちょっとまずいと断れるのに、こういう時に限って誰もいない。内心嫌だったが、坂井に誘導され、近くの小さな公園に連れていかれた。坂井は日陰に立って日傘を閉じると、冷たい目つきで理人を眺めた。

「社長から理人さんをバイト扱いで起用したいと言われました」

坂井に素っ気ない声で言われ、理人は青ざめた。まだやると言っていないのに、類は先走りすぎだ。

「社長の命令なら従うつもりですが、私は反対です。正直……、社長にとってあなたはお荷物でしかないんですよね。社長があなたのためにどれだけお金をつぎ込んできたか、ご存じですか？　医療費だけでも相当の額です。専属の看護師や理学療法士を雇ったり、最新の医療機材を揃えたり……。おまけにあなたの存在があったから、これまで断ってきた仕事の数も多いんです。特に長期で家を空けるような仕事は、社長は絶対にやりません。あなたはご存じないかもしれないけど」

突き刺すような視線を向けられ、理人はぐうの音も出なかった。

類が自分のために尽くしてきたのは何となく分かっていたが、はっきり聞かされると身の置き所がなかった。坂井に謝るのも違うと思うし、どう答えていいか分からない。

「身内だから当たり前だと思っていませんか？　社長の優しさに甘えすぎです」

坂井の声に力が入り、理人はうろたえた。坂井の目に涙が滲んでいる。本気で類を好きなのだろう。

「もう社長を解放してあげて下さい。元気になったのだし、いい大人なんだから、一人で生きられるでしょう？」

声を震わせて坂井に言われ、理人は気圧されるように後ろに一歩下がった。反論したい気持ちはあったが、坂井の言い分も正しくて、うなだれてしまう。病気になったのは自分のせいではないし、理人だって好きで迷惑をかけているわけではない。余計なお世話だと言いたい気持ちもあったが、理人は何も口にできなかった。

坂井が類を心底案じているのはよく分かったからだ。傍から見ると、惜しみなく金や時間を出来損ないの兄弟に注ぎ込んでいるようで、嫌なのだろう。秘書をしているから、類の仕事やプライベートも把握していて、余計にやるせないのだ。

「言いたいことはそれだけです。失礼します」

坂井は強い口調で言って、日傘を開いて去っていった。

理人はしばらく動く気になれなくて、空いていたベンチにのろのろと座った。落伍者と罵られた気がした。がんばっているつもりでも、坂井の目には類にぶら下がる寄生虫みたいに見えていたのかもしれない。気分は重く沈み、なかなか浮上しなかった。自分は類の優しさに甘えていたのだろうか。たった一人の身内の傍にいたいと思うのは、間違っているのだろうか。

鬱々と考え込んでいると、公園の横を通った車からクラクションを鳴らされた。顔を上げると、運転席から中野が顔を覗かせる。

「理人君、何してるの？　乗ってく？　今から類を迎えに行くところなんだけど」

公園のほうに車を寄せて、中野が声をかけてくる。理人が重い足取りで近づくと、中野が何とも言えない顔で見上げてきた。

「どうしたの？　暗い顔しちゃって。ほら、乗って」

ふつうの顔をしたつもりだが、ずっと類を見てきたマネージャーだけあって、理人の様子にもすぐ気づいた。理人は考え込んだ末に助手席のドアを開けて、車に乗り込んだ。

「何かあった？　もしかしてしつこい記者に追われた？」

中野はすぐには車を発進させず、理人の顔を覗き込んでくる。

「いえ……ちょっと坂井さんに注意されて……」

坂井との確執を知っている中野になら話してもいいかと思い、理人は重苦しい気持ちを吐き出した。

「あら。あーあー。なるほどね。分かりました」

中野は理人のそんな一言ですぐに察し、ぽんぽんと理人の肩を叩く。

「澄子《すみこ》ちゃんは類に入れ込みすぎてるからね。何言われても気にしなくていいよ。彼女ちょっと間違った正義感に囚われてるのよ。あの子もお馬鹿だよねー。理人君に嫌われたら、即クビになるって分かってないいんだから」

苦笑しつつ中野に言われ、理人はふと気になって眉根を寄せた。

「澄子……?」

坂井の名前は澄子というのか。どこかで聞いたような……。

「ん? 坂井さんの名前よ。坂井澄子二十八歳。アラサーだし、まだいろいろもがいてるよね。私くらいの歳になると、逆に開き直れるんだけど」

中野は理人が何に引っかかったか理解していないようで、けらけら笑っている。

(澄子……すみこ、ミコか!)

類と昔関係していた女性の名前がミコだった。もしかして坂井が類とつき合っていた女性なのか。類は割り切った関係なんて言っていたが、女性のほうはそうではなかったということだ。だとしたら理人に対して憎悪を燃やすのも分かる気がする。長い間、類が理人に入れ込んでいたのを知っているのかもしれない。

「類に言ってもいいんだけど、そうするとすぐ解雇になりそうで、怖くて言えないよねぇ」

中野は車を発進させながら、思わせぶりな笑みを浮かべた。理人も同じ気持ちだったので、頷いた。

「今度澄子ちゃんにそれとなく釘を刺しておくよ。理人君を虐めたら、類がブチ切れるって」

明るい声で中野が言う。理人は中野との会話で余計にもやもやしてきて、相槌が打てなかった。

中野はマンションの地下駐車場に車を入れると、「類、呼んできてくれる? 今から雑誌の撮影なんだ」と理人に頼んできた。理人は重苦しい気分のまま礼を言い、マンションのエレベーターで昇っていった。

「お帰り、理人。遅かったな」

作業場にいると思っていた類は、キッチンに立っていた。ロゴの入ったパーカーに、細身のズボンというラフな服装だ。理人のためにハンバーグを作ったと、誇らしげに皿を見せる。その顔を見ていたら、坂井の涙顔と重なって混乱した。

類がミコと呼ばれる女性と関係を持っていると知った時、理人は大人だなと思うくらいで嫉妬はしなかった。名前を知っているだけの見知らぬ女性だったし、リアルな想像ができなかったのだ。だが、ミコの正体が坂井だと分かったとたん、胸にどろどろとした嫌な気持ちが込み上げてきた。類はどんな顔で坂井を抱いたのだろうと考えるだけで、すごく気持ち悪い。濃密な時間を過ごした二人に胸が苦しくなり、そんな相手を未だ傍に置いている類に嫌悪が湧いた。

「理人？」

ふいに額を触られて、理人はハッとしてその手を払った。物思いに耽っていたせいで、類が手を伸ばしたのに気づいていなかった。手をはねのけられた類が、驚いた様子で理人を見つめる。

「あ、ごめ……。あの、中野さんが下で待ってる、から」

強張った表情で理人は類から身体を離し、口早に言った。類は何か言いたげに理人に近づいたが、時計を見て、引き下がった。

「今日の仕事、遅くなるから」

気遣うような口調で類が言い、シンクで手を洗って去っていく。理人は自分がひどく嫌な顔をしているのではないかと気になり、部屋に逃げ込んだ。しばらくして類の「行ってくる」という声とドアの開閉音が聞こえてきた。

(俺、どうしちゃったんだろう)

類がいなくなったのを確認して、理人はおそるおそるリビングに戻ってきた。類と坂井の情事を想像して嫌な気分になるなんて、自分は潔癖症だったのだろうか。

誰もいないリビングで、類の作ってくれたハンバーグをもそもそと食べながら、気分はどんどん沈んでいった。

（こんなに美味しいのに……ごめん）

類に申し訳なくなって、悲しくなってきて、涙が滲み出る。最近の自分はずっと情緒不安定で、本当に嫌になる。最初はそんなことなかった。新田がいてリハビリをしていた頃は、こんな暗い気持ちにはならなかった。

（恵まれた環境にいるのに、何で俺こんな……）

海と大地に会った後は、旧友と会うのが嫌になり、誰とも会っていない。今、自分がしているのはウォーキングだけだ。これじゃまずいと働こうと思ったのに、やることなすこと裏目に出ている。自分がどこへ向かっていけばいいか分からない。いつまで経っても、同じ場所をぐるぐる回っているみたいでうんざりする。自分が嫌いになりそうだ。

『もう社長を解放してあげて下さい』

坂井の放った言葉が、ずっと腹の底に残っている。お金はあるのだし、一人暮らしでもしてみようか。そうも思ったが、不安のほうが強くてとても実行できそうになかった。

ふと視線の先に棚の上に飾られた家族写真があった。父と母、類と自分がエッフェル塔の前で立っている写真だ。隣には祖父母と笑っている類と自分の写真もある。

（おばあちゃんとおじいちゃんに会いたいな……）

優しく包み込んでくれた祖父母を思い出し、理人は胸を熱くした。ふいにフランスに行きたいという思いが頭に過る。

（おばあちゃんとおじいちゃんのところに行ったら駄目だろうか？　今思い出したけど、俺が行きたかった大学……外国語が強くて、フランス語の通訳やりたいなって思ったんだよな）

すっかり忘れていた思いが蘇り、理人は気づいたら祖母に電話をかけていた。時差が七時間あるのを忘れていたが、祖母はすぐに電話に出てくれた。

『リヒト？　まぁ、嬉しいわ。私の天使、どうしているの？』

祖母のフランス語が耳に入り、無性に懐かしくて目が潤んだ。少し前に会ったばかりなのに、もう寂しくなっている。自分はいつからこんなに情けない人間になったのだろう。

「おばあちゃん、俺、そっちで暮らしちゃ駄目かな」

理人は濡れた声で、一息に言った。

『あらまぁ。いつでも歓迎よ。私たち、あなたと暮らせたら嬉しいわ』

祖母は何があったかも聞かず、優しく受け入れてくれる。理人が頬を紅潮させると、祖母が気になったようにつけ加える。

『でもルイはどうするの？　ルイが寂しいんじゃない？』

祖母の気遣う声に、理人はくしゃりと顔を歪めた。

「類は……たくさんの人に囲まれてる。でも俺は、ここにいても一人なんだ。孤独で死にそうだよ。皆と時間がずれてしまって、置いていかれている気がする。類は優しいのに。俺のためにたくさんの時間とお金をかけてくれているのに、俺は嫌な兄貴だ。おばあちゃん、俺どうすればいい？　俺……類と離れたほうがいいのかな？」

理人は素直な感情を吐露《とろ》させた。『解放』という坂井の言葉が強烈に頭に残っていて、居たたまれなかった。類の優しさに甘えているのは事実だ。類がいなかったら、生きていなかっただろう。

『ねぇ、リヒト。その気持ちをルイに話すべきよ。ルイがどれほどあなたの回復を待ち望んだか私たちは知っているから。あなたがいなくなったら、ルイはきっと悲しいわ。もちろん、あなたがこっちに来て一緒に暮らしてくれるなら、私たちはこれ以上ないくらい幸せだけど』

優しく染み渡るような祖母の声に、理人は鼻をすすった。祖母の言う通りだった。本当にフランスに行くとしても、ちゃんと類に話さなければならない。

「分かったよ……おばあちゃん、愛してる。ガキみたいでごめん」

理人は目元を擦って、微笑んだ。

『そうね、あなたはまだ子どもなのよ。私の天使、愛してるわ』

茶目っ気たっぷりに祖母に囁かれ、理人は妙に納得して電話を切った。

周囲との時間のずれを感じるのは、理人の精神がまだ十八歳のままだからだ。理人の心は意識を失ったあの日で止まっている。

それを類に分かってもらいたい、と理人は切実に感じた。


パジャマに着替えて、理人はリビングで類の帰りを待った。夜になっても暑さは和らがず、クーラーをつけっ放しにしている。ソファにもたれてうとうとしていると、いつの間にか寝ていたようで、キッチンから音がして目覚めた。

「類……？　帰ってたの？」

眠い目を擦って声をかけると、冷蔵庫から冷えたペットボトルの水を持って類が近づいてきた。類はつい先ほど帰宅したようで、肩掛けのバッグをソファの横に置いて、理人の隣に腰を下ろす。類は硬い顔つきでペットボトルのキャップを外して、咽を潤す。

「類……話があるんだけど」

類の機嫌がよくないのは分かっていたが、理人はあえて口を開いた。このままずるずると自分の気持ちを押し隠していったら、きっと自分は駄目になる。祖母に背中を押された今、類に気持ちを打ち明けたかった。

「俺……おばあちゃんのところに行こうかと思ってる」

類がこっちを向いてくれないので、理人は不安に思いつつ切り出した。サッと類の顔が強張り、テーブルの上に、乱暴にペットボトルを置く。

「何で？　坂井に何、言われた？」

怒った声で詰問され、理人はどきりとした。どうして知っているのだろうと理人が動揺していると、類がはーっとため息をこぼして、髪をぐしゃぐしゃと掻き乱す。

「出かける時、理人の様子がおかしかったから、マネージャーに問い質した。あまりに隠すから、ちょっと脅して話させた。――悪かった、坂井がお前を目の敵にしてたなんて、知らなかった。あいつはクビだ。必要ない」

目元を手で覆って、類が冷酷に告げる。理人はびっくりして、類の背中に手をかけた。やっと類がこちらを振り向き、目が合う。

「そんなことしないでくれよ！　彼女の言い分も分かるし……、彼女は類が好きなだけなんだ。邪魔なのは俺のほうだろ……」

中野が言っていた通り、類は理人への仕打ちに腹を立てて坂井をクビにしようとしている。だがそんな理由で解雇されては、坂井が憐れすぎる。類のためを思って、理人へ意見しただけなのに。

「理人が邪魔になることは絶対にない。そもそも、うちは社内恋愛禁止だ。そういう面倒くさい感情を俺にもっている時点で、秘書として雇いたくない。っていうか、何でもっと早く言ってくれなかったんだ？　マネージャーから聞かされたくなかった」

類は苛立った様子で声を荒らげた。

「類……、俺、類を解放してくれって言われた」

理人は緊張で手に汗を掻いて、か細い声になった。類がすっと怒りで身体を硬くしたのが分かって、とっさにその腕を掴む。

「聞いてくれよ！　彼女の言う通りだと思ったんだ！　俺のために類がどれほどたくさんのお金や時間を浪費したか……っ、類は優しいから俺に気を遣わせないようにしてたけど、このままお前におんぶにだっこじゃ、駄目だって思った。俺みたいなお荷物を抱えてたら、お前の人生を無駄にしてしまうんじゃないかって――」

「何でそんなこと言うんだよ!!」

激高したように類が怒鳴り、テーブルを叩いた。テーブルの上に置かれたペットボトルが揺れて、床に転がる。理人は類のすさまじい気迫に、びくっと身を震わせた。

「俺の金だろ！　俺が好きに遣って何が悪い⁉　そもそも――俺が在学中に起業したり、金を稼ごうと身を削ったりしてがんばってたのは、全部理人のためだ‼」

大声でまくしたてられ、理人は呆然として類を凝視した。全部……自分のため？

「理人を近くに置くために……、そうしないと俺の精神がおかしくなりそうだったから……、なのにおばあちゃんのところへ行くって⁉　ふざけんなよ‼」

胸倉を摑まれ、理人は類に引き寄せられた。類は怒りで肩を震わせ、荒々しい息遣いで理人を睨みつける。

「傍にいてほしいって願うのは、そんなに駄目なことなのか⁉」

聞いているこちらが胸を抉られるような声で類が叫ぶ。

「絶対に行かせない！　俺から離れるって言うなら、鎖で繫いでも傍に置く――なぁ、理人……っ、頼むから、俺から離れないでよ……」

類の顔が大きく歪み、強く抱きしめられた。類の体温を感じ、理人は胸の中にじわじわと熱いものが込み上げるのを感じた。自分が求めていたものが何か、初めて分かった。この熱だ。スキンシップだ。類の体温を長いこと感じていなかった。

『兄貴、好きなんだよ、好きだ、好き――このままめちゃくちゃに犯せたら、どんなにいいか』

ふいに類の心の声が脳裏に飛び込んできて、理人は目を見開いた。今までずっと聞こえなかったのに、類に抱きしめられたとたん、また声が聞こえるようになった。

類は――まだ自分を好きなのか。五年経っても、ずっと自分を想い続けていたのか。

「類……違う、俺は……俺が離れようとした本当の理由は」

類の腕の中に閉じ込められながら、理人は声を震わせた。目元が熱くなり、必死になって類と視線を合わせようとする。苦しそうな類と目が合い、無性に泣きたくなる。

「俺、寂しかった。孤独で死にそうだった。類が触ってくれないから——類の声が聞こえなくて、お前はおやすみのキスもしてくれなくなったし、一緒に寝てくれなくなったし、それに……」

理人が言い募ると、今度は驚いたように類が腕を弛める。

「もう俺のこと、好きじゃないと思ってた。俺……、俺は」

目を潤ませて声を詰まらせると、類の手が理人の頬におそるおそる触れる。

「してよかったの？　おやすみのキス……。本当は俺だって一緒に寝たかったけど、理人を襲わない自信がなかったから……。黒夢病の発症原因はストレスだって言われてただろ。俺がお前を抱いたことが、原因じゃないか……」

言いよどむ類に、理人はそうだったのかと胸が痛くなった。類はずっと自分を責めていたに違いない。そして目覚めた後も、再び発症しないよう、理人に触れなくなったのだ。

「ストレスがあったとしたら……、お前に抱かれたことじゃない」

理人は目尻に浮かんだ涙を拭って、目を伏せた。

「今なら分かる。俺が発症した日は……父さんとママが帰ってきた日だったろ……。俺は父さんとママにお前との関係がばれるのが怖かったんだ。お前に抱かれたこと自体は……嫌じゃなかった」

正直な気持ちを理人は伝えた。二人にばれるのが怖くて、優しい両親が豹変してしまうのではないかと不安だった。類を責められるのも、自分が詰られるのも、全部怖かった。

「理人……」

複雑な思いを抱えたのか、類が唇を噛んだ。

「俺は子どもだったんだよ……。ごめん、類。俺も類が好きだよ。これがどういう種類の愛情かは分からない。でも俺にとって類はいつも触れていてほしい存在なんだ。昔みたいに、スキンシップ過多にしてくれないと、寂しくて死にそうだ……」

理人は類の目を見つめて、自分の気持ちを明かした。類の目にサッと光が差し、理人の両頬を大きな手で包み込む。

「いいの？　理人……もう二度と手放せないよ？」

類の声が震え、ゆっくりと顔が近づいてくる。端正な顔立ちが近づいて、理人は自分からも顔を寄せた。

柔らかな唇がわずかに触れた。離れたと思ったとたん、再び近づいてきて唇を深く重ねられる。何度も類の唇が離れては戻ってきた。音を立ててキスをされていくうちに、徐々に押し倒され、類の大きな身体に伸し掛かられる。

「兄貴、したい」

類の目に情欲の色が浮かび、頬を包んでいた指先が耳朶を揉む。互いの体温が上がったのが分かり、理人は頬に朱を走らせた。兄貴と久しぶりに呼ばれ、鼓動が鳴り響く。

この関係は間違っている。そうと分かっていても、もう拒絶はできなかった。何よりも自分のほうが類の熱い腕を望んでいた。類のあふれるほどの愛情が欲しかった。

「うん……しよう。俺も欲しい」

上擦った声で理人は囁いた。類が息を呑み、次の瞬間、軽々と身体を抱えられた。驚いて慌てて類の首にしがみつくと、理人を抱えたまま類の寝室へ連れていかれる。

類の寝室は今まで一度も入ったことがなくて、ひそかに気になっていた。入ってすぐ目に入ったベッドに、目を見開く。

「このベッド……」

キングサイズのベッドは見覚えがあって、理人はゆっくりと下ろされながら類を見つめた。

「うん。実家の家具はほとんど処分したけど、このベッドだけは捨てられなかった」

類が薄く笑って呟く。ふっと何度も抱かれた日のことを思い返し、理人は目元を赤くした。類がすぐに伸し掛かってきて、理人の唇を吸う。

「はぁ……、すげぇ興奮してる」

貪るように理人の唇を吸い、舐め、舌で口内を掻き回しながら、類がうっとりとして言う。久しぶりの激しいキスに理人は息も絶え絶えで、ぼうっとしてきた。類がキスの合間に腰を押しつけてきて、硬くなった下腹部を見せつける。

「類……、はぁ……、はぁ……」

重なる唇に理人も懸命に応え、類の首に腕を回した。類はパジャマのボタンを引きちぎるように開き、素肌に手を這わせてくる。

「ひゃ……っ」

類の指が乳首を摘まんだ瞬間、電流のように甘い痺れが走って、理人はびっくりした。指先で乳首を扱かれ、すぐにぷくりと尖る。乳首を触られて、鼓動が速まる。指先で弾かれて、びくびくと腰が動く。

「や……っ、そこ、何か変……っ」

どうして乳首がそんなに気持ちいいか分からず、理人は動揺して甲高い声を上げた。類が気づいて、熱っぽい息を耳朶に吹きかける。

「ごめん、俺が意識が戻らない兄貴の身体、時々触ってたせいかも。我慢できなくなって、あちこちキスしてた」

しれっと類が告白し、頭を下げて理人の乳首を口に含む。

「ひ……っ、あ……っ、あ……っ」

舌で嬲《なぶ》られ、カーッと腰に熱が溜まっていく。

「触った……だけ？　入れてない、よね……？」

乳首を舌で弾かれるたびに、びくびくと腰を揺らし、理人は聞いた。両方の乳首を舌と指で責められると、甘い声が漏れてしまう。乳首を弄られただけで下腹部が反り返り、濡れ始めた。

「さすがに挿入はしてねーよ、カテーテル入ってたし。キスだけ……」

平然と言い返され、二の句が継げなくなった。自分への恋心など消えてしまったと思っていたが、類は昔とちっとも変わっていなかった。

「起きない兄貴が悪い」

尖った乳首を歯で優しく引っ張り、類が笑う。疼くような快感に襲われ、理人は身悶えた。まだ乳首しか愛撫されていないのに、息は乱れ、生理的な涙が浮かんでくる。

「あ……っ、ひゃ、ぁ……っ、う、ん……っ」

唾液でべたべたになるくらい乳首を舐めたり吸ったりされて、理人はシーツを乱して喘いだ。はぁはぁと息がこぼれ、全身が熱くなる。類が身体をずらそうとして下腹部を膝で押した刹那《せつな》、ぞくぞくっと快感が全身に駆け上り、理人は仰け反った。

「あああ……っ、ひ、は……っ」

自分でも驚いたことに、呆気なく射精してしまった。全身で息を震わせ、甘い呻き声を上げる。下着の中にどろどろとした液体を吐き出したせいか、下腹部が気持ち悪い。

「まさか、イっちゃったの……？　ほとんど乳首でイってるじゃん」

類が上擦った声で理人のズボンを下着ごとずり下ろす。理人はまだ息が苦しくて、忘我の状態でぐったりしていた。

「すっげ、糸引いてる……。兄貴、こんなエロイ身体してたの？」

興奮した息遣いで、類が精液でぐちゃぐちゃになった下着を脱がしていく。理人は恥ずかしさに眩暈がして、顔を両手で覆った。ずっと性欲を感じていなかったのに、類に触れられただけで、こんなに身体が過剰反応している。

「い、言うなよ……、お前のせいだろ……」

真っ赤になって拗ねた声を出すと、類が笑って衣服を床に落とす。

「うん、俺のせいだ。はぁ、やばい。俺の、ガチガチで痛いくらい」

類は着ていたパーカーを勢いよく脱ぎ捨て、ベルトを手早く外す。ズボンと下着を脱ぐと、類の勃起した性器がぶるりと飛び出してきた。

「すごいびしょびしょだ……」

類は理人が出した精液を引き伸ばして尻の穴に擦りつけていく。つぷりと類の中指が入ってきて、無意識のうちに息を大きく吐き出した。類の指は探るように尻の奥を這い回る。

「兄貴が感じてくれるの、すげー嬉しい……、やっぱり反応があると俺も興奮する」

片方の脚を持ち上げ、類は太ももに吸いつきながら、尻の奥に入れた指を動かした。類の指はすぐに理人が気持ちよくなるしこりを探り当て、強めに擦ってくる。

「ん……っ、ふ、は……っ、うう、……っ」

尻の奥に入れた指を出し入れされ、理人は甘い呻き声を上げた。太ももをきつく吸われ、自然と腰がひくついてしまう。激しく愛された記憶は理人にとって数カ月前のもので、嫌でも身体が快楽を期待してしまう。

「細いな、兄貴、もっと太って。無理できないじゃん」

類の手があばらを撫でてからかうように言う。ついでに指が増やされ、理人は身をすくめて、目尻の涙を拭った。

「うん……がんばる」

自分でも痩せた身体がみっともないと思っていたので、つい素直に頷いてしまった。すると類がはーっとわざとらしいため息をこぼした。

『可愛いこと言わないで』

類の声が聞こえてきて、理人は笑っていいのか怒るべきか分からず、変な顔になった。

「我慢できなくなってきた……、早く入れたい」

類は尻の穴に入れた指を広げ、内壁を解すように動かす。まだそこは狭くて、潤いが足りなかった。一度指を抜くと、「ちょっと待って」と言って部屋を出ていく。一分後に戻ってきた時は、オリーブオイルの瓶を手にしていた。

「ローションないから、これでいいかな」

そう言って再びベッドに上がってくると、理人をうつ伏せにして、オイルを尻のはざまに垂らしてくる。

「腰上げて」

類に促され、理人は尻だけを高く掲げる格好になった。類の前であられもない姿をさらしていると思うと羞恥が湧いたが、そんなことを案じる間もなく、少し強引に三本の指を入れられた。

「ん……っ、類、ゆっくり、して……っ」

狭い穴をこじ開けるように指を差し込まれ、理人は切ない声を上げた。苦しくて呼吸を乱すと、類が空いた手で性器を扱いてくる。性器と内部を同時に弄られ、理人の苦しさが少しずつ和らいだ。

「は……っ、ひ……っ、はぁ……っ、はぁ……っ」

濡れた卑猥な音が室内に響き渡る。理人は圧迫感と、疼きが交互に押し寄せて、汗ばんだ頬をシーツに押し当てた。かろうじてかかっているパジャマの上着を、のろのろと脱ぐ。

「もういい……？　まだ痛い……？」

尻の奥に入れた指を動かし、類が聞く。

「ん……、大丈夫、と思う……」

理人がかすれた声で言うと、類の指が尻の穴から抜かれた。理人は仰向けになって、細い腕を類に伸ばした。繋がるなら、向き合ってやりたかった。類の顔を見ていたい。

「兄貴……、入れるよ」

類も理人の意を察して、向かい合った形で伸し掛かってきた。両脚が持ち上げられ、弛んだ尻の穴に、硬くなった類の性器の先端が押しつけられる。必死に呼吸を繰り返し、理人は濡れた目で類を見つめた。類は興奮を無理に抑えたような顔つきで、ゆっくりと腰を進める。

「は……っ、あ……っ、ひ、ぃ……っ、おっき、ぃ」

類の大きくなった性器を受け入れるのはさすがに苦しくて、理人は喘ぎながら呻いた。類は理人の脚を胸に押しつけ、ぐっと腰を入れてくる。

「はぁ……っ、はぁ……っ、あちぃ」

類は小刻みに腰を揺らしながら、徐々に性器を埋め込んできた。身体の奥を、類の熱でいっぱいにされる。苦しくて、でも満たされて、痺れるような感覚に支配される。

「あ、類……っ、類……っ」

高校生の時とは違う、今は自分から類を受け入れているのだと思うと、無性に昂るものがあり、理人は涙をこぼして類に手を伸ばした。

「兄貴……っ」

類も上擦った声で身体を屈めてきて、理人を抱きしめる。ずん、と奥まで類の性器が入ってきて、理人は仰け反った。繋がった状態で類は理人に激しく口づけてきた。繋がった奥は動かさないようにして、顔中を舐めてくる。理人は息を喘がせ、両脚を類の腰に巻きつけた。

「愛してる」

類が耳朶を手で包み込み、口づけの合間に囁いた。胸が熱くなり、繋がった場所がじわじわと疼いた。

「俺も……、類。愛してるよ」

息を荒らげつつ、理人はそう言って唇を吸い返した。類の目が潤み、額やこめかみにキスをされる。類はしばらくの間動かずに、ただ理人へキスを繰り返していた。

銜え込んだ奥から、類の熱が染み渡っていく。どくどくと脈打つそれは、徐々に心地よさを理人に与えてきた。温かくて、硬くて、気持ちいい。内壁が類の性器へ吸いつくような動きになり、理人は甘い声を漏らした。

「動いて……いいよ」

理人が囁くと、類が吐息をこぼして、腰を律動してくる。類の荒い息遣いが耳から理人を刺激する。類が自分の身体で感じてくれているのが、無性に嬉しい。

「は……っ、あ……っ、あ……っ」

カリで感じる場所を擦られ、理人は甘ったるい声を上げた。馴染ませてから動いているせいか、奥が気持ちよくて、目がとろんとする。

「あー、ぜんぜんもたない……っ。中に出していい？」

腰を動かしていた類が、大きく息を吐き出し、上擦った声で聞く。

「いい、よ。ん……っ」

理人が頷くと、類の腰の動きが急に激しくなり、上半身を起こして腰を打ちつけてくる。肉を打つ音が響き、理人は突かれるたびに甲高い声を発した。

「はぁ……っ、はぁ……っ、く、イく……っ」

類は理人の太ももを押さえつけるようにして、深く突き上げてきた。その動きがピークになった

時、内部で性器が膨れ上がり、どろりとした熱い液体を注ぎ込んでくる。

「く……っ、は……っ、はー……っ、すげ、気持ちい……っ」

類が肩を上下させながら、息を乱して腰を震わせる。理人もびくびくと腰を揺らし、類の射精を促すように内壁を痙攣《けいれん》させた。

「ああ……、めちゃくちゃ幸せだ……。兄貴を抱いてる……、兄貴に愛されてる」

類がうっとりするような笑みを浮かべ、屈み込んできて理人の唇を吸った。そのまま腋に手を差し込まれ、まだ繋がった状態で身体を持ち上げられた。

「ひ、あ……っ、あ、あ……っ」

あぐらを掻いた類と対面座位の形になり、理人は熱い息を吐いた。自分の体重で、先ほどより深く類の性器が入ってくる。少し怖くて、ぞくぞくするほど感じてしまう。類の性器は一度萎えたが、軽く腰を揺さぶると理人の中で再び大きくなった。

「ずっと一緒にいたい。死ぬまで傍にいてほしい」

類が理人の目を見て熱っぽく言う。耳朶を食まれ、耳の中に舌を差し込まれ、理人はじんとして身を縮めた。

「うん……いる。類、傍にいるから」

類に抱きついて、理人は囁いた。類の手が背中に回り、嬉しさを伝えるように抱きしめられる。耳朶をしゃぶられ、理人は奥が疼いて甘い声を上げた。

「耳……も、舐めてた?」

耳朶を触られるとひどく感じてしまい、理人はおそるおそる尋ねた。類が乳首を摘まんで笑う。

「うん。こっちも気持ちよくなった？　俺、兄貴の耳、好きなんだよ。ふっくらして、食べたくなる」

啞然とするようなことを言われ、理人は類の耳をつねった。

「ん……っ、ふぅ、はぁ……っ」

キスの合間に乳首を指で弾かれ、理人は無意識のうちに腰を揺らした。繋がった部分から、類が吐き出した精液が滲み出てくる。感度が高まっていて、乳首を弄られると、寒気に似たものが背筋を這った。乳首と内部が連動しているのか、強く摘まれると、きゅんきゅんと銜え込んだ類の性器を締めつけてしまう。

「中でイけそう……？　すごく熱くなってる」

類は腰を軽く律動して、理人の胸元を手で撫で回す。尖った乳首を何度も擦られて、理人は赤くなった頰を擦った。

「ん……っ、う、はぁ……っ、お尻……気持ちいい……っ」

ずっと銜え込んでいるせいか、すっかり馴染んだ奥は、類の性器の熱を心地いいと認識している。

理人が潤んだ目で嬌声を上げると、類が尻を強く揉んできた。

「うん、俺も気持ちいい……。兄貴の中、熱くて締めつけてる」

耳元でいやらしく言われ、理人は息を引き攣らせた。じわじわと熱が高まり、時おり、腰がびくっと大きく震えるほど気持ちよくなる。乳首や耳朶を弄られ、甘い声がひっきりなしに漏れる。

「可愛いな、兄貴。どうしていいか分からないくらい、可愛いよ。はぁ、またイきたくなってきた」

類がそう言って、腰をぶるぶると動かしてくる。とたんに理人も感極まって類にしがみついた。

「あ……っ、ひ……っ、はぁ……っ、はぁ……っ、あー……っ」

下から突き上げるようにされ、理人は身を反らして甲高い声を上げた。類の性器が大きくなってきて、深い奥を突き上げてくる。内部はどこを突かれても気持ちよくて、理人は濡れた声を上げまくった。どんどん気持ちよさが積み重なってきて、呼吸が苦しくなる。勃起した性器は反り返っていて、類との身体の間で揺れている。

「中でイって、兄貴」

促されるように、類が腰を穿ってくる。その動きが激しくなり、理人は深い快楽から逃げるように腰を浮かした。するとそれを許さないように類の腕で腰を引き戻され、ひどく深い場所まで性器を突き立てられる。

「ひあああ……っ、あー……っ、駄目、駄目……っ」

声を出さないとても逃せないような強い快楽に襲われ、理人は泣きながら嬌声を上げた。それに煽られたように類の動きが激しくなり、目がちかちかするような刺激が与えられる。

「あー……っ、あー……っ、ひ、やぁああ……っ!!」

こらえきれない甘い電流が身の内を走り、理人は仰け反りながら絶頂へ達した。同時に類の性器をきつく締めあげ、強引に類の射精も促す。

「く、はぁ……っ、は……っ」

類が顔を歪めて、理人の中に射精してくる。ほぼ同時に達し、獣じみた息を吐きながら理人と類は抱きしめ合った。濃密な空気の中、びくびくと身体を震わせつつ、唇を求め合う。

言葉はもういらなかった。

理人は満たされた思いの中、類と長いキスを続けた。

■8　未来は手の中に

類と再び肉体関係を持ち、理人は意識を変えた。

覚悟が決まったというか、生きる目標ができた。自分たちの関係は世間では許されないようなものだと分かっていたが、それでもこの世で一番好きな相手といられるのは素晴らしいことだと思った。

「おばあちゃん、ごめん。やっぱり、類の傍にいるよ」

次の日には祖母に電話し、そう告げた。祖母は寂しいわと言いながら、安堵した様子だった。あれほど餓《う》えていた気持ちは、類と抱き合った時から消えていた。孤独で泣いていたのが嘘みたいに満たされていた。

類は坂井をクビにすると言っていたが、それは可哀そうなのでやめてもらった。けれど理人にも言いたいことはある。

「類は気にしてないかもしれないけどさ……。昔、肉体関係があった人を秘書にするのって、どうなの……？　そこはちょっと、嫌かも」

昼食に類が作ってくれたナポリタンを食べながら、理人は小声で言った。ダイニングテーブルには粉チーズが置かれていて、類は赤い麺が黄色くなるほど振りかけている。

「は？　何言ってんの？　坂井と寝たことなんてない。そもそもタイプじゃないし。あいつ思いきり後くされあるタイプじゃん」

　面食らったように言われ、理人は目を丸くした。

「え、でもミコって……坂井澄子さんじゃなくて？」

　てっきり昔の恋人かと思っていたのだが……。

「え、あー。なるほど。澄子でミコね。ちょっと惜しい。ミコは仇名で、本名は中野文子《ふみこ》……あっ、しまった」

　うっかり口にしてしまったらしく、類が口を押える。中野文子……まさか、マネージャーか！

「嘘っ、ぜんぜん気づかなかった！　そんな感じじゃなかったじゃん！　で、でも中野さん、俺に優しいよ？　そんなことある？」

　これまでの中野と類の態度を見ている限り、色っぽい雰囲気は皆無だった。坂井みたいに嫉妬されるなら分かるが、あんなにさばさばしているものだろうか。

「だから、お互い何の感情もないって。あっちは義父に惚れちゃって、お互いに悶々としてた時に発散してただけだし。今は母親が亡くなって、義父と仲良くやってるみたい。あー。つうか、理人と関係持ったの、あいつにはきっとすぐばれるな」

　類は何かを思い出したように、髪を掻いている。

「絶対からかわれる。無理な仕事押しつけられそう。兄貴、マネージャーに何か言われても、応えるなよ？　あいつ、兄貴のこと気に入ってるから、強引に芸能界入りさせられるぞ」

　恐ろしいことを類に言われ、理人は身をすくめた。

「き、気をつけるよ……。っていうことは、俺と類のこと知ってるんだね」

中野にとっくにばれていたとは思わず、顔が赤くなった。

「あとやっぱり、兄貴って呼ぶのやめてよ。理人でいいじゃん。また兄貴に戻ってるし」

麺を咀嚼しつつ注意すると、類が笑ってフォークを動かす。

「悪い、理人。理人ね。名前で呼ぶと恋人っぽいな」

照れた顔で類が言う。甘い空気が漂っているのを感じ、理人は急いでナポリタンを胃袋に収めた。

この後、類は仕事で出かける。その間に理人は部屋の掃除をしようと決めていた。理人の部屋に置かれていた医療用ベッドや医療器具を撤去するためだ。機材はすべて病院へ寄付することにした。部屋を一新して、ふつうの生活を取り戻したい。これからは類と一緒のベッドで寝ることにしたし、自分のベッドは必要ない。

「ところで、心の声が聞こえなかったのって、俺のせいかもしれない」

ふと思い出したように言われ、理人は目を丸くした。類が苦笑して、紅茶に口をつける。

「昔、理人が俺の心の声が読めると気づいてから、頭の中で考えないような訓練してたから。理人に俺の気持ちがばれるとまずいと思って、意識が戻ってから、気をつけてたし。気を抜くと、考えちゃうんだけど」

意外な事実を知り、理人は呆気にとられた。道理で聞こえなかったわけだ。

「っていうか、むしろばれたほうがよかったのか？　いや、でもやっぱ、全部聞こえてると引くと思う」

類は真面目な顔でそっぽを向く。

「あとさ、変な話……。時々、俺も理人の声、聞こえるんだよね」

ぼそぼそとした声で言われ、理人はあんぐり口を開けた。まさか自分の心の声も、聞こえるというのか。

「たまに、くっついたりすると、ちょっと聞こえる。新田さんがいなくなってから、理人が寂しいって言ってるの、聞こえてた。どうしていいか分からなくて……。良かれと思ってスキンシップ控えたのが、裏目に出ると思ってなかった」

類から秘密を明かされ、赤くなったり、青くなったりして、理人はうつむいた。お互いに心の声が聞こえるなんて、双子とは驚きの能力をもつものだ。類は勘がいいと思っていたが、それだけではなかったらしい。ずっと類の心の声を勝手に聞いているのを申し訳なく思っていたので、少し心が軽くなった。

類が出かける時間になり、理人は支度を終えた類を玄関まで見送りに出た。

「いってきますのキスも追加していい？」

靴を履いた類に甘く聞かれ、理人はぽっと顔を赤らめ、頷いた。おはようやおやすみだけでなく、いってきますのキスも増えるとなると、一日中キスばかりしている感じになるかもしれない。それでも類とキスすると、気分が上昇し、優しい気分になれる。

「あー、仕事行きたくない。一日中、エッチしていたい」

理人の唇を何度も音を立ててキスしながら、類がつらそうに言う。際限なくキスをされそうだったので、理人はぎゅーっと類に抱きついた。

「いってらっしゃい。帰り、待ってるから」

甘えるように胸にすり寄って言うと、類が嬉しそうにきつく抱きしめてくる。

「やべー。マジで幸せすぎて死ぬかもしれない」

物騒な発言をして、類がやっと出かけていく。類の姿を見送り、理人は一息ついて部屋に戻った。昨日と今日ではまったく違う世界が広がってしまった。後悔はない。暗く寂しい気分だった昨日より、今のほうがずっと幸せだったから。

この先、どんなことが起きても、類と生きていこうと固く決意した。


八月下旬の暑い盛り、理人は類と一緒に病院に来ていた。

検査を終え、入院病棟に行き、まだ眠っている真矢の姿を遠目から眺めた。

今日、佐久間から思いがけない朗報を聞いた。黒夢病の治療薬が開発され、今年中に治験が始まるらしい。それがあれば意識のなくなった患者も、意識を取り戻す可能性が高いそうだ。実は類の会社もこの治療薬を開発した製薬会社に資金援助していたそうで、どこまでも意識が高い弟には脱帽した。もしこの治療薬が確立されれば、これ以上ないほど嬉しい。もう類を悲しませることはしたくない。どうか治験がいい結果をもたらしますようにと願った。

あれから類とは仲良く過ごしている。類がオフの日の前日には、どろどろになるほど愛される。身も心も類の色に染まっていくようで、少し怖いくらいだ。結局、坂井は類と話し合った結果、自主退職していった。望みがないと諦めがついたのだろう。類との関係は中野にすぐ勘付かれ、類が察した通り、仕事をしないかとしつこく誘われている。芸能界にまるで興味のない理人は、今は類の仕事の雑用を手伝ったり、資格を取得したりと動きだしている。

「お祭りしている。理人、寄ってく？」

病院を後にして、家に帰りがてら、類が大きな公園にたくさんの提灯の明かりが灯っているのを見つけて言った。

「騒がれるんじゃない？」

類と一緒に外を歩いていると、目立つ外見のせいか、声をかけてくる人が多いのだ。ただでさえ目立つハーフの顔立ちが二人並んでいると、人目を引いてしまう。

「いいじゃん。今日は気分がいいし。寄っていこうよ」

類は治験の話を聞いてからご機嫌だ。類がそう言うならと、理人も笑って頷いた。近くの駐車場に車を停め、類は眼鏡と帽子で変装して歩きだす。

大きな公園にはやぐらが組まれていて、浴衣姿の男女が盆踊りをしていた。屋台もたくさん出ていて、類の好きなたこ焼きを買う。和菓子の店もあったので、理人は大福を買って食べた。わずかな間に辺りは夜の帳《とばり》に包まれた。やぐらで太鼓を鳴らす音が響き渡る。明かりがゆらゆら揺れて、理人は何気なく盆踊りの輪を見つめた。

「天使……っ」

ふいに耳元でそう言われ、いきなり誰かに腕を摑まれた。びっくりして振り向こうとする理人より早く、類が理人の腕を摑んだ女性の手を押さえた。

「何だ、お前——」

暴漢かとすごむ類が摑んでいるのは、二十代後半くらいの女性だった。顔を見て、理人は目を丸くした。

「有沢さん……!?」

理人の腕を摑み、声をかけてきたのは、ステーキハウスで働いていた時に知り合ったOLの女性だったのだ。浴衣を着て髪をアップにして、驚いた様子で理人と類を見る。理人の知り合いと分かったのか、類が腕を離すと、有沢は頬を赤らめて頭を下げた。

「ごめんなさい！　いきなり腕摑んだりして！　幻かと思って……っ、小此木君があの頃とあまりに変わらないんでっ」

有沢の後ろから連れらしき男性が顔を見せる。小太りの柔和な面立ちの男性だ。

「類、この人、あの時の事件の被害者だよ」

うさんくさそうな顔をしている類に、有沢を紹介した。有沢は類をまじまじと見て、「え。芸能人？」ともごもご呟いている。

「こんなところで会うなんて……。よく分かりましたね」

有沢と連れの男性に目を向け、理人は苦笑した。有沢のほうから声をかけてくれなければ、理人は分からなかっただろう。五年の歳月が経ったのに、よく見つけられたものだ。

「だって天使みたいって思ったから。そんな子、小此木君くらいしかいないし」

照れた顔で笑い、有沢が連れの男性に何か話しかける。理人の話を知っているのか、連れの男性が納得した様子で理人を見つめてきた。

「あの時は本当にありがとう。直接お礼を言いたかったけど、結局会えないままあそこのバイト辞めちゃったでしょう？　私のせいかなって申し訳なくて」

有沢が頭を下げて、しゅんとして謝る。

「あ、いや、単に受験で辞める予定だっただけで……。あの件は関係ないです」

慌てて理人がフォローすると、有沢がホッとしたように肩の力を抜いた。

「それならよかった。あの後、私も転職して、彼と知り合って結婚したんだ。あの頃は本当にもうあいつのせいで毎日苦しかったけど……小此木君のおかげで、人生好転したよ。ありがとう」

晴れ晴れとした笑みを浮かべ、有沢が連れの男性と寄り添う。自分は大したことはしていないが、有沢が変われるきっかけになれたのならよかった。

有沢と話していると、胸に不思議な思いが満ちてきた。

自分は五年の歳月を失くしてしまったけれど、それまで生きてきた軌跡はちゃんとあるのだということを。孤独に思う必要はなかった。自分はちゃんとこの世に存在していた。

「お元気で」

有沢と別れた後、理人は類と寄り添って提灯が続く石畳の道を進んだ。

「理人、はぐれるなよ？」

沿道に人が押し寄せてきて、類が手を差し出す。

『兄貴と一緒にお祭りへ来られて嬉しい。兄貴、好きだよ。愛してる』

握った手から類の心の声が聞こえてくる。

『俺も好き。愛してる』

理人が心の中で応えると、類が振り向き、かすかに目を潤ませた。

生きている以上、出会いと別れは常に繰り返される。自分の居場所がないように感じて苦しんでいたけれど、今の自分にはこうして隣を歩いてくれる大事な人がいる。

生まれた時から一緒で、死ぬまで一緒にいられたら——。

それはとても幸せなことではないだろうか。理人はそう思い、類の手を強く握って、しっかりと歩きだした。

はじめまして&こんにちは。夜光花《やこうはな》です。

今回は双子ものです。数年前に双子萌えがやってきて、書きたい！　と思ったものの、近親ものは断られることが多く、同じ顔の双子なんてさらに無理だろうと思ったのですが、なんと優しいクロスさんが「いいですよ〜」と快く受け入れてくれました。クロスさん、大好き。というわけで兄弟ものです。双子です。兄弟は萌えるというよりたぎる感じですね。書けてすごく楽しかったし満足です。

架空の病気を盛り込んでみましたが、やっぱりずっと意識がないのに痩せ細らないわけないよね？　と思い、快復するまで時間がかかりました。そのせいか思ったより真面目な話になっちゃって、私もびっくりです。実際こんな病気があったらどうなのでしょうね。家族が大変そう……。

ところで兄弟の何がいいのか考えてみたのですが、なにより一番は背徳感ですかね。もはや男同士なんて禁忌でもなんでもないご時世なので、もっと背徳感がほしいのかも。あと長年片思いしている執着ものが好きなので、生まれた時から好きなんて最高に萌えます。

理人《りひと》と類《るい》はこのまま幸せに暮らしそうですね。きっと同じ墓に入るので

あとがき

しょう。類は理人が既製服買うと嫉妬しそうだなと思いました。

イラストのｙｏｃｏ先生、繊細で綺麗な絵をつけて下さってありがとうございます。いつか描いてもらいたいなぁと思っていたので、念願叶って嬉しいです。ｙｏｃｏ先生の描く類の髪型の違うバージョンを見たくて、高校生の時と成長した五年後の類の髪型を変えてみました。かっこよくて本望です。素敵な絵を描いていただきありがとうございました。

担当さま、毎回丁寧な対応、本当にありがとうございます。クロスさんのお仕事楽しいです。今後もよろしくお願いします。

読んで下さった皆さま、感想などありましたら聞かせて下さい。応援は心の支えになります。またがんばりますね。

ではでは。次の本で出会えるのを願って。

夜光花

CROSS NOVELSをお買い上げいただき
ありがとうございます。
この本を読んだご意見・ご感想をお寄せください。
〒110-8625
東京都台東区東上野2-8-7　笠倉出版社
CROSS NOVELS 編集部
「夜光 花先生」係／「yoco先生」係

CROSS NOVELS
生まれた時から愛してる
著者
夜光 花

2021年8月23日　初版発行　検印廃止

発行者　笠倉伸夫
発行所　株式会社 笠倉出版社
〒110-8625　東京都台東区東上野2-8-7　笠倉ビル
[営業]TEL　0120-984-164
FAX　03-4355-1109
[編集]TEL　03-4355-1103
FAX　03-5846-3493
http://www.kasakura.co.jp/
振替口座　00130-9-75686
印刷　株式会社 光邦
装丁 Asanomi Graphic
ISBN 978-4-7730-6302-8
Printed in Japan